WORD SEARCH

For Kids

Puzzle Book

Instructions

Find and circle the words listed on each page's puzzle. Words can be arranged vertically, horizontally, and diagonally in both forward and backward directions. Enjoy exploring each puzzle and have fun!

D	F	O	R	W	A	R	D	X
O	D	M	K	O	H	N	A	D
W	P	I	A	C	K	A	M	R
N	R	B	A	N	O	V	T	A
W	T	O	M	G	B	M	B	W
A	B	R	W	L	O	C	K	P
R	S	R	P	X	B	N	B	U
D	M	X	B	M	G	D	A	M
D	R	A	W	K	C	A	B	L

Words To Find

FORWARD BACKWARD UPWARD
DOWNWARD DIAGONAL

Fruits

B	P	E	A	C	H	A
A	R	B	D	N	T	V
N	T	E	M	O	B	O
A	B	R	W	L	X	C
N	S	R	P	E	B	A
A	M	Y	B	M	G	D
O	R	A	N	G	E	O

BANANA BERRY ORANGE

PEACH AVOCADO MELON

Birthday

B	A	L	L	O	O	N
P	M	G	I	F	T	S
A	Y	E	N	K	R	F
R	J	E	K	A	C	C
T	P	I	N	A	T	A
Y	B	T	L	H	D	R
F	R	I	E	N	D	S

PINATA GIFTS CAKE

BALLOON FRIENDS PARTY

Domestic Animals

Y	T	C	R	N	W	Y
E	H	A	U	O	T	B
K	W	M	C	R	A	Z
N	R	E	T	A	O	G
O	J	L	U	V	W	C
D	G	H	O	R	S	E
B	U	F	F	A	L	O

BUFFALO HORSE COW
CAMEL DONKEY GOAT

Toys

D	B	A	L	L	H	P
B	L	O	C	K	S	U
D	R	Y	N	D	L	Z
L	O	R	O	L	E	Z
E	U	L	P	Y	T	L
G	W	K	L	M	O	E
O	Y	D	D	E	T	O

BALL DOLL LEGO
TEDDY YOYO BLOCKS
PUZZLE

Food

N	O	O	D	L	E	S
H	L	V	X	T	P	G
T	B	S	A	U	A	O
R	A	C	H	G	S	D
J	O	L	L	Y	T	T
S	P	I	Z	Z	A	O
B	U	R	G	E	R	H

BURGER PIZZA NOODLES

HOTDOG TACOS PASTA

Family

M V U N C L E B

O A U N T K G R

T C J W D N E O

H O P V I H D T

E U K L T Y Z H

R S B A P K K E

D I F Y D Q Y R

S N S I S T E R

FATHER SISTER MOTHER

AUNT UNCLE COUSIN

BROTHER SIBLING

Birds

S	P	A	R	R	O	W	Q
T	O	R	R	A	P	B	H
E	S	Y	Y	H	J	B	X
V	X	W	K	Y	X	Z	X
O	Z	C	A	J	O	W	L
D	U	Y	Y	N	H	B	J
D	P	E	A	C	O	C	K
O	G	N	I	M	A	L	F

OWL SPARROW DOVE

PEACOCK FLAMINGO

SWAN PARROT DUCK

Colors

B	L	A	C	K	F	V	F
E	X	S	Z	P	I	N	K
Y	U	P	Q	J	V	Q	W
E	F	L	U	G	X	Z	H
L	F	X	B	R	F	Z	I
L	X	Z	R	E	P	Q	T
O	Q	X	E	E	S	L	E
W	M	S	D	N	X	Q	E

RED BLUE PINK

BLACK WHITE GREEN

YELLOW PURPLE

Baby Animals

F	O	A	L	H	J	R	K
V	H	B	V	L	V	F	I
C	W	U	D	A	T	L	T
U	D	N	X	M	E	A	T
B	S	N	Q	B	L	C	E
J	R	Y	X	Y	G	Z	N
Y	P	P	U	P	I	H	D
H	W	Z	X	X	P	D	Q

CUB PIGLET FOAL

KITTEN PUPPY BUNNY

CALF LAMB

Fresh Fruits

	K	A	P	P	L	E	P	
P	I	N	E	A	P	P	L	E
M	W	M	A	N	G	O	U	A
J	I	D	K	E	O	N	M	A
	T	N	G	U	A	V	A	
		I	R	A	E	P		

APPLE PEAR MANGO

KIWI GUAVA PLUM

PINEAPPLE

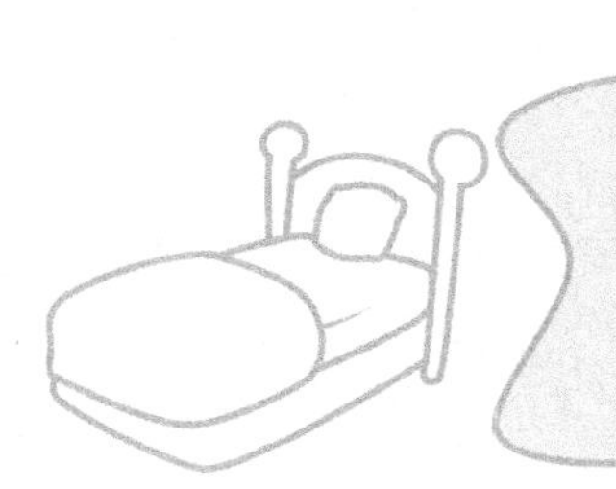

3 Letter Words

V	K	G	F	D	Y	V
B	I	R	G	O	X	P
B	T	D	T	P	Q	U
M	A	J	W	A	B	C
D	R	P	I	N	T	T
X	O	G	N	I	A	X
P	R	V	S	H	R	R

JAM	KIT	WIN
HAT	TOY	CUP
POP	NAP	SIT

Clothes

G	O	V	E	R	A	L	L	S
F	R	O	C	K	Q	Q	S	B
X	W	T	R	I	H	S	A	Q
X	U	N	I	F	O	R	M	S
Q	B	S	G	X	B	Q	A	H
Z	G	Q	K	W	W	B	J	O
G	W	X	Z	I	X	Z	A	R
S	S	E	R	D	R	Y	P	T
W	J	E	A	N	S	T	X	S

FROCK	SHIRT	SKIRT
DRESS	JEANS	SHORTS
PAJAMAS	UNIFORM	OVERALLS

Vegetables

W	F	D	O	N	I	O	N	E
Y	M	U	S	H	R	O	O	M
C	T	O	R	R	A	C	J	V
I	P	D	D	F	V	B	O	Y
L	Q	O	Z	Q	W	K	T	X
R	K	W	T	B	V	B	A	D
A	E	V	W	A	W	W	M	E
G	K	W	J	Q	T	Z	O	J
C	H	I	L	L	I	O	T	K

ONION POTATO TOMATO

CARROT GARLIC CHILLI

MUSHROOM

Sight Words

Z	B	H	F	B	G	X	F	E
J	X	A	E	M	O	C	K	B
N	N	V	N	D	B	I	N	N
L	R	E	I	Q	L	B	Z	G
I	Q	A	T	U	O	P	Q	R
T	S	N	A	W	A	Y	T	P
T	G	F	N	N	J	N	H	F
L	Z	X	G	X	Q	P	E	J
E	Q	D	O	E	S	F	Y	X

OUT	HAVE	LIKE
DOES	COME	SAID
THEY	AWAY	LITTLE

Picnic

Z	J	J	F	Z	P	R	X	F
E	R	U	T	N	E	V	D	A
F	Y	J	Z	L	X	T	X	G
S	Z	Y	O	P	A	J	P	J
K	X	O	Y	H	J	J	Q	T
C	C	Z	G	J	Y	Y	P	A
A	P	T	E	K	S	A	B	M
N	E	E	R	C	S	N	U	S
S	S	A	N	D	W	I	C	H

MAT HAT BASKET
SNACKS COOLER SANDWICH
SUNSCREEN ADVENTURE

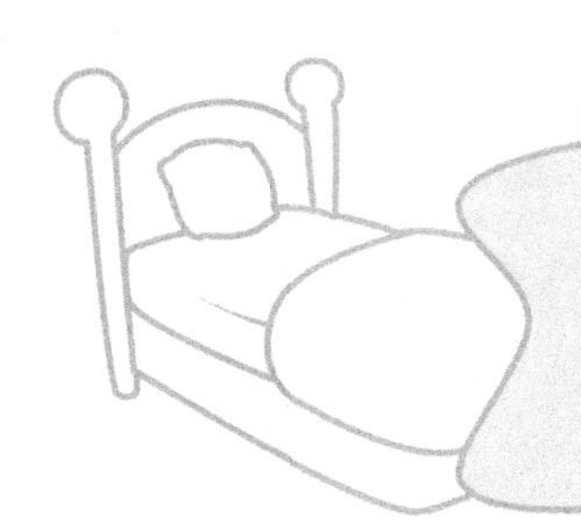

Bedroom

E	G	Z	F	Y	E	H	W	H
B	G	Z	Z	L	J	O	F	F
O	Z	X	B	T	L	I	U	Q
R	G	A	J	L	J	F	V	F
D	T	H	I	C	L	O	C	K
R	X	P	H	Y	B	B	Y	F
A	M	A	T	T	R	E	S	S
W	X	Y	Z	X	D	D	V	F
G	T	E	K	N	A	L	B	H

BED TABLE QUILT
CLOCK PILLOW BLANKET
MATTRESS WARDROBE

Wild Animals

S	M	C	R	W	S	O	Y	U
Y	Y	E	B	Q	C	O	Y	A
C	E	F	E	T	X	R	X	D
D	J	F	A	J	I	A	Y	N
Z	V	A	R	U	W	G	J	A
E	J	R	L	I	O	N	E	P
B	U	I	W	Y	M	A	V	R
R	M	G	V	V	X	K	W	C
A	E	L	E	P	H	A	N	T

LION	DEER	BEAR
TIGER	PANDA	ZEBRA
GIRAFFE	ELEPHANT	KANGAROO

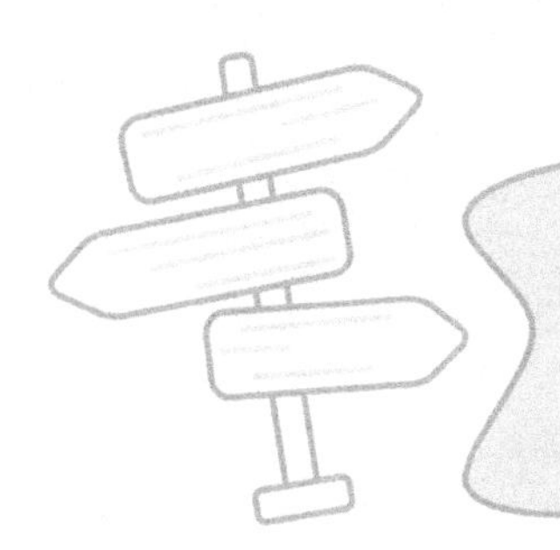

Directions

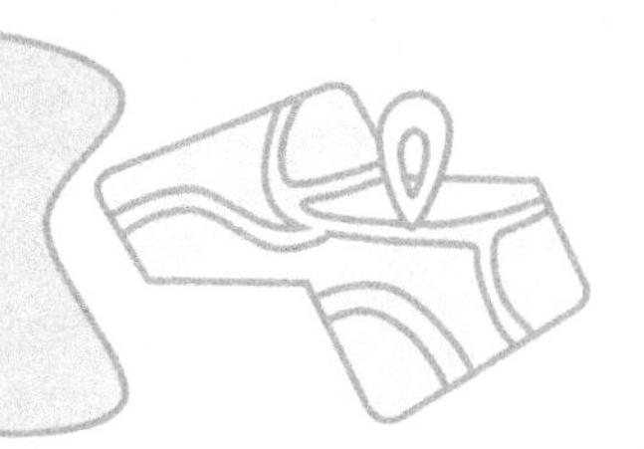

T	K	H	X	Z	X	U	P
S	Y	T	S	E	W	V	Y
A	Q	R	D	K	K	M	T
E	Y	O	R	K	J	F	Q
C	W	N	V	I	E	Q	P
N	P	J	Z	L	G	C	M
K	J	V	K	S	K	H	V
J	S	O	U	T	H	Y	T

EAST WEST SOUTH NORTH

UP LEFT RIGHT DOWN

Cooking

K	X	K	H	R	V	Z	U	L
J	X	K	S	O	X	Q	S	L
U	W	Q	A	A	U	K	T	I
Z	V	X	M	S	J	B	I	R
B	F	R	Y	T	O	Z	R	G
V	L	U	J	I	U	V	U	P
Z	X	E	L	V	J	Q	O	U
V	W	W	N	W	W	H	K	U
V	V	K	K	D	C	Q	X	J

FRY MASH BOIL

CHOP STIR GRILL

ROAST BLEND

Shapes

S K E A P X
W Q G Z P T R A E H
X U R E C T A N G L E
M A D N O M A I D A O
J R H E X A G O N V M
E C I R C L E R O
Q O N Y R A Z
X H V T Q
S

DIAMOND RECTANGLE HEART
CIRCLE OVAL STAR
HEXAGON SQUARE

4 Letter Words

Z	X	X	G	G	L	V	T	U
G	E	R	I	F	L	U	I	Q
W	Z	U	I	U	I	Q	M	U
Z	I	D	X	V	H	G	E	Q
J	E	N	G	Z	W	A	K	E
A	Z	G	D	Q	F	Q	B	Z
C	A	R	E	A	Z	X	A	Z
X	J	P	S	O	U	Z	B	O
U	U	T	Q	P	V	Q	Y	Z

TIME	FIRE	WIND
BABY	HILL	CARE
FAST	IDEA	WAKE

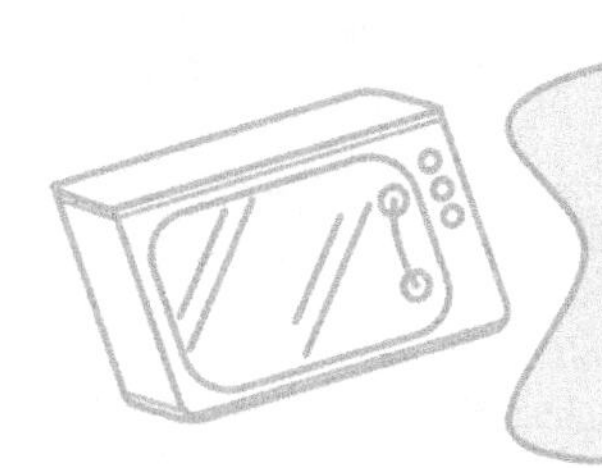

Baking

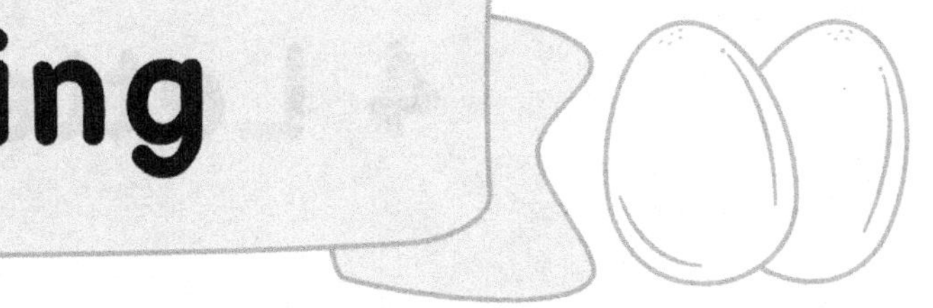

Z	H	G	U	O	D	K	W	K
V	A	N	I	L	L	A	Y	K
S	X	Q	W	W	N	E	V	O
A	P	Z	P	R	B	Q	S	W
L	P	J	A	A	K	Z	G	Z
T	K	G	T	Q	X	Y	G	W
Q	U	T	J	W	X	Y	E	X
S	E	Y	F	L	O	U	R	Y
R	Z	R	E	T	T	U	B	K

EGGS	OVEN	SALT
FLOUR	SUGAR	DOUGH
BATTER	BUTTER	VANILLA

Numbers

R	A	J	A	B	K	A	C	C
U	E	B	Y	K	E	V	I	F
O	N	J	P	T	H	R	E	E
F	I	O	B	C	Y	C	B	Y
K	N	A	N	N	D	M	M	B
C	T	D	E	E	K	Y	D	P
M	W	T	Q	M	D	X	I	S
J	O	N	E	V	E	S	P	C
P	P	D	E	I	G	H	T	K

ONE TWO SIX TEN

FOUR FIVE NINE

THREE SEVEN EIGHT

In the Kitchen

W	W	C	A	B	I	N	E	T
Z	J	T	O	P	A	E	T	N
C	Q	M	X	S	G	M	O	Z
U	J	J	T	G	Z	O	X	J
T	Z	O	H	Q	P	G	X	W
L	V	G	S	S	Z	X	M	X
E	X	X	I	M	N	A	P	Z
R	X	Q	D	M	J	Q	G	W
Y	Z	M	X	K	N	I	F	E

PAN DISH STOVE

SPOON KNIFE TEAPOT

CUTLERY CABINET

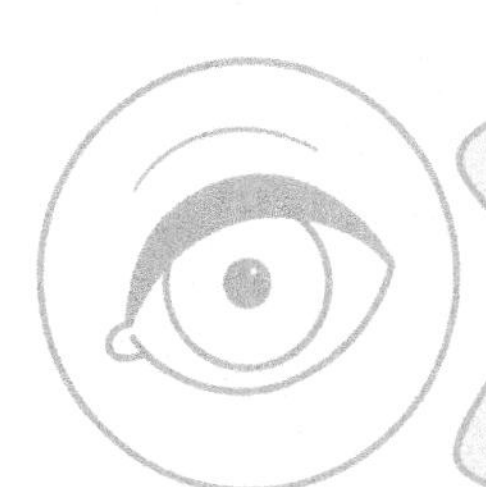

Body Parts

F	V	S	T	O	M	A	C	H
E	Y	E	S	R	E	Z	W	V
X	K	D	X	E	Q	A	Z	W
B	J	A	B	D	B	H	R	Q
S	G	E	L	L	T	Q	I	S
B	J	H	S	U	I	K	W	E
Q	B	M	O	O	K	Z	S	Z
Q	R	M	Z	H	Z	O	F	P
A	B	V	V	S	N	Q	P	V

EARS	EYES	HEAD
STOMACH	ARMS	SHOULDER
MOUTH	NOSE	LEGS

In the Garden

P	X	Y	N	Y	B	V	P	K
O	S	W	B	H	D	Y	L	J
L	A	O	O	J	E	C	A	K
L	J	S	I	K	E	V	N	Y
E	E	X	Y	L	S	Q	T	M
N	F	O	U	N	T	A	I	N
X	K	Q	J	S	S	A	R	G
X	Y	V	J	V	C	Y	Z	Y
F	L	O	W	E	R	S	M	V

HOSE	SEED	SOIL
LAWN	GRASS	PLANT
POLLEN	FLOWERS	FOUNTAIN

Bodies of Water

Q	H	B	Y	Y	G	J	B	U
L	L	A	F	R	E	T	A	W
R	Z	H	P	O	N	D	S	B
E	Z	H	J	X	A	Y	T	B
V	J	X	J	B	E	U	R	Z
I	G	Z	G	J	S	H	E	L
R	X	Z	J	B	Z	G	A	J
O	C	E	A	N	H	K	M	B
X	Y	X	L	L	E	W	Q	Z

SEA LAKE POND

WELL WATERFALL STREAM

RIVER OCEAN

Football

M	J	Q	F	I	E	L	D	V	J
W	A	V	Q	G	W	W	V	S	Z
V	V	E	O	Q	X	X	W	T	P
W	X	A	T	V	V	Z	K	O	E
Q	L	D	Q	W	J	C	Z	O	N
Q	X	R	Z	V	I	J	W	B	A
Z	Z	A	V	K	Z	Q	J	W	L
X	V	U	E	R	O	C	S	V	T
Q	W	G	W	Q	Q	Q	Z	W	Y
J	J	Z	J	Z	C	O	A	C	H

TEAM	GOAL	KICK
FIELD	BOOTS	COACH
SCORE	GUARD	PENALTY

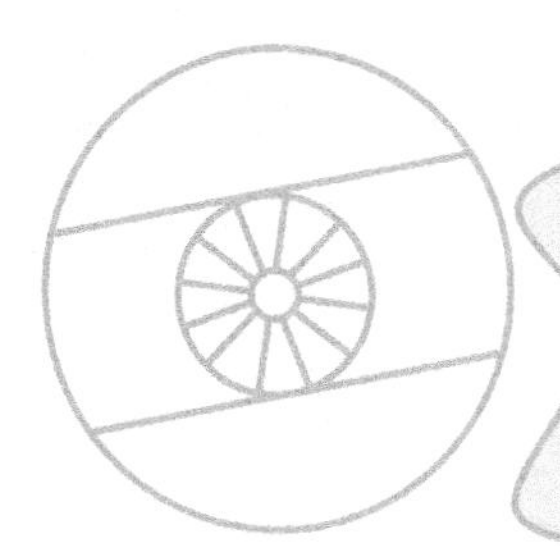

Countries

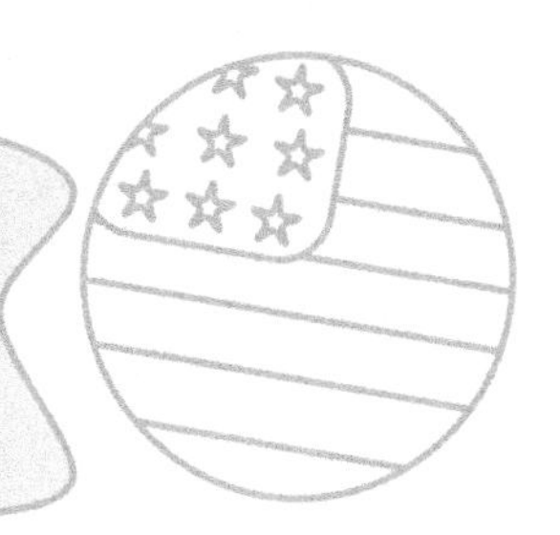

G G N I T W W G Q Q

W T A Y N T K Q A K

Q Y P T G D W N W T

L Q A M E X I C O G

R I J V W H T A Y F

S U Z G C V V T G R

P T S A D A N A C A

A T W S R Y G K W N

I Q Q W I B G W Y C

N T G Q Y A U S A E

USA INDIA SPAIN JAPAN

CHINA CANADA BRAZIL

RUSSIA FRANCE MEXICO

Sea Animals

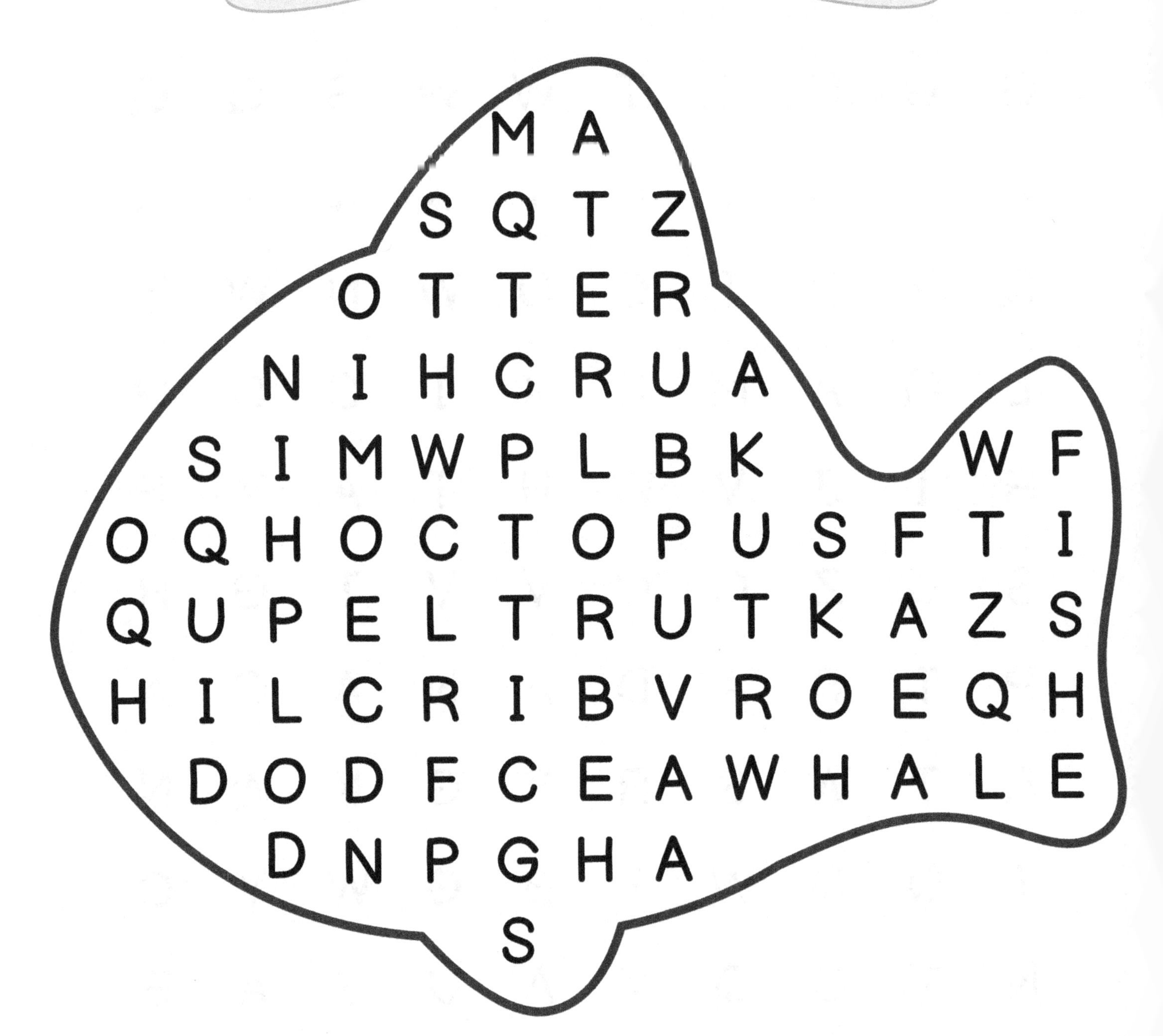

OTTER	URCHIN	TURTLE
FISH	WHALE	SHARK
DOLPHIN	SQUID	OCTOPUS

Profession

X	X	T	E	A	C	H	E	R	Y
Z	T	W	A	W	F	E	H	C	J
Z	O	B	R	J	N	K	K	K	R
V	L	V	T	X	U	Y	Z	S	E
W	I	Z	I	Z	R	K	Y	I	E
Q	P	Q	S	J	S	K	Z	N	N
Q	W	K	T	B	E	J	K	G	I
Y	E	C	I	L	O	P	W	E	G
D	O	C	T	O	R	W	B	R	N
R	E	M	R	A	F	Q	V	Y	E

CHEF	PILOT	NURSE
DOCTOR	POLICE	SINGER
ARTIST	FARMER	TEACHER

Fashion

T	W	A	T	C	H	F	M	Z	S
A	Y	X	T	D	M	E	J	E	V
O	J	M	Q	I	S	V	S	R	X
C	Q	X	D	R	E	S	I	Q	Z
N	B	Q	U	V	A	B	J	Y	D
I	E	P	Q	L	B	F	V	F	X
A	L	J	G	O	Q	M	X	Y	X
R	T	N	N	C	Y	J	H	A	T
D	U	M	Q	A	S	O	C	K	S
S	M	Z	M	P	M	J	V	D	V

PURSE RAINCOAT SOCKS

WATCH SUNGLASSES RIBBON

TIE HAT BELT CAP

Sports

U	L	L	A	B	T	O	O	F	V
J	X	V	C	R	I	C	K	E	T
P	P	J	P	U	Q	U	J	J	P
L	L	A	B	T	E	K	S	A	B
S	W	I	M	M	I	N	G	X	T
I	C	E	H	O	C	K	E	Y	E
N	O	T	N	I	M	D	A	B	N
S	K	A	T	I	N	G	V	J	N
J	Q	Z	V	P	V	Q	U	V	I
R	E	C	C	O	S	Q	Q	U	S

TENNIS
ICE HOCKEY
CRICKET
SOCCER
BADMINTON
FOOTBALL
SKATING
BASKETBALL
SWIMMING

Instruments

O	G	U	I	T	A	R	C	Q	J
B	L	Q	V	W	V	U	L	E	J
O	W	L	V	V	K	P	A	N	B
N	T	W	E	U	J	R	R	O	W
A	J	E	L	C	V	A	I	H	J
I	D	E	P	E	Z	H	N	P	J
P	L	R	T	M	Q	Q	E	O	W
E	J	U	U	Z	U	B	T	L	J
V	L	J	W	M	Q	R	W	Y	B
F	B	Z	W	J	S	J	T	X	J

UKULELE GUITAR DRUMS
PIANO TRUMPET CLARINET
CELLO HARP FLUTE XYLOPHONE

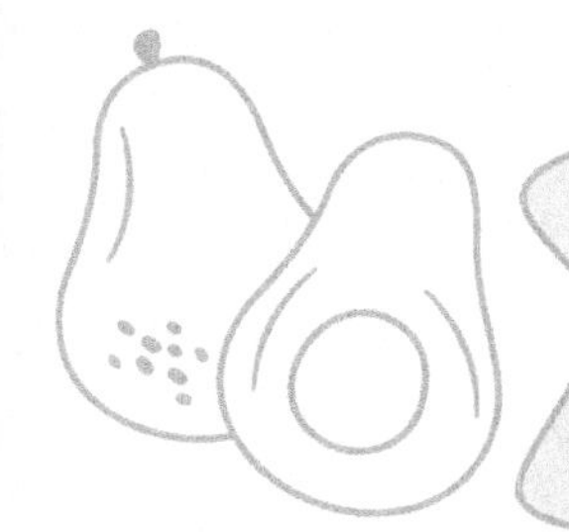

Healthy Food

F	Q	S	K	L	I	M	F	Q	Z
W	W	E	J	U	I	C	E	S	X
F	X	L	S	H	F	X	W	T	W
Q	F	B	W	N	O	F	Z	U	Q
W	Q	A	W	F	A	N	Z	N	S
S	W	T	W	D	F	E	E	Q	E
O	X	E	D	A	E	R	B	Y	T
U	X	G	W	L	W	Q	Z	Z	A
P	Q	E	X	A	Z	Z	X	Z	D
X	Q	V	X	S	Q	F	Z	Q	X

SOUP VEGETABLES NUTS

MILK DATES BREAD

HONEY JUICE SALAD BEANS

Easter

Z	Q	S	X	Q	Q	V	Z	F	V
Q	V	N	C	M	Q	Z	M	L	S
Z	X	A	Z	A	X	X	Q	O	G
Q	Z	E	B	U	N	N	Y	W	G
G	Q	B	Z	V	V	D	Q	E	E
N	X	Y	Z	X	X	V	Y	R	V
I	V	L	M	Q	M	Q	M	S	Q
R	Z	L	M	M	C	H	I	C	K
P	Q	E	T	A	R	O	C	E	D
S	Q	J	Q	B	A	S	K	E	T

EGGS	FLOWERS	SPRING
BUNNY	DECORATE	BASKET
CANDY	JELLYBEANS	CHICK

Hospital

J	F	S	T	E	L	B	A	T	H
S	K	K	J	E	D	R	A	W	F
E	Q	H	Q	N	Z	K	A	T	J
V	H	Q	Q	I	X	J	E	N	Z
O	R	O	T	C	O	D	S	E	K
L	X	Q	Q	I	H	K	R	I	Z
G	H	Z	F	D	F	Z	U	T	Q
J	J	X	F	E	K	K	N	A	X
X	K	X	F	M	F	F	H	P	F
F	H	Y	R	E	V	O	C	E	R

WARD MEDICINE GLOVES

NURSE RECOVERY DOCTOR

TABLETS PATIENT

Summer Vacation

R	J	H	Z	V	Q	K	Q	Z	F
E	Q	O	H	C	A	E	B	V	L
L	J	T	Z	V	V	Y	Q	Q	I
A	I	C	E	C	R	E	A	M	P
X	Z	Y	J	V	Z	Q	K	V	F
V	G	N	I	M	M	I	W	S	L
S	Z	Z	V	V	V	K	Z	J	O
S	U	M	M	E	R	C	A	M	P
Y	Q	N	J	Y	D	N	A	S	S
S	U	N	B	A	T	H	I	N	G

SUNBATHING SUMMER CAMP SWIMMING

FLIP FLOPS SUN ICE CREAM

RELAX HOT SAND BEACH

Planets

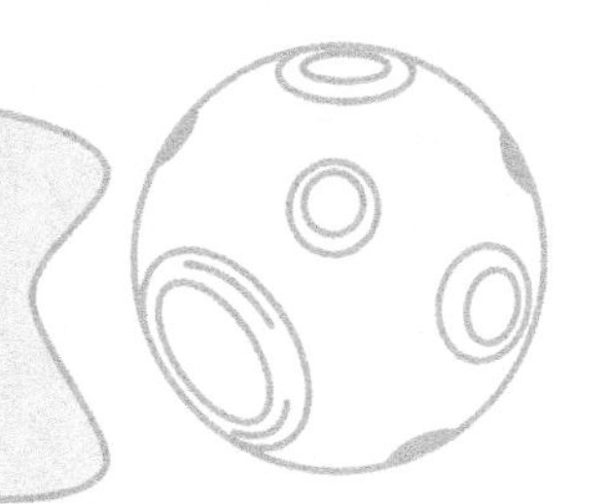

B	M	E	R	C	U	R	Y	B	K
X	X	D	Z	W	L	G	D	X	E
O	Z	L	L	E	O	S	B	N	B
N	X	O	A	O	U	D	U	G	J
Q	R	R	D	N	G	T	K	U	F
D	T	U	A	M	P	W	P	G	S
H	K	R	T	E	A	I	X	U	F
G	U	L	N	A	T	R	N	Z	X
G	B	F	X	E	S	E	S	Q	W
G	F	L	R	X	V	K	K	Q	O

MARS EARTH VENUS

SATURN URANUS JUPITER

MERCURY NEPTUNE

Insects

M O S Q U I T O

B U T T E R F L Y K

G U B Y D A L I T Z

S P I D E R A X

Y M R W M D N Q

R O P A N T S E

Q T E L T E E B

H C B I

MOSQUITO	ANT	MOTH
SPIDER	BEE	BEETLE
LADYBUG	SNAIL	BUTTERFLY

5 Letter Words

Z Z V J Y M Z J J K

B Q B C A T A X Q Z

Q K N G E V R E J Z

Q A I C B J K A R K

F C A G K Z U B M D

Q E J E L N S K G S

P Q V Z K O B Z K Q

U U V V S T O R Y X

B U K Y D A E R Q U

J V V N W O L C U X

STORY	IGLOO	FANCY
PEACE	SMART	READY
MAGIC	DREAM	CLOWN

At the Restaurant

Z	Y	W	A	I	T	E	R	X	J
F	E	H	C	M	E	N	U	L	Q
J	R	E	I	H	S	A	C	B	Y
D	R	V	Z	Q	Y	E	M	L	T
E	E	X	X	Z	N	N	A	B	I
S	T	X	Z	Z	A	I	N	L	P
S	R	X	X	J	P	S	A	L	Z
E	A	O	O	X	K	I	G	O	L
R	T	Q	Y	Z	I	U	E	O	O
T	S	V	Z	Y	N	C	R	V	L

NAPKIN DESSERT CASHIER

CUISINE MANAGER STARTER

TIP MENU CHEF WAITER

Mountains

E	Y	W	Z	H	Z	V	G	A	Q
A	P	A	Y	T	E	N	W	W	W
J	Z	O	E	S	I	I	J	Y	J
W	V	N	L	K	K	V	G	J	X
H	T	W	K	S	W	C	T	H	V
W	I	E	X	J	D	S	O	B	T
Z	R	K	Z	Y	E	Y	M	R	D
T	Z	A	I	R	J	I	Y	W	Y
Q	J	D	O	N	L	V	Q	Y	Q
V	Z	F	D	C	G	V	Y	W	D

TENT SLOPE ROCKS

CLIMB HEIGHT HIKING

FOREST TREKKING

Halloween

N	I	K	P	M	U	P	X	G	F
V	Z	S	X	H	C	T	I	W	Z
Z	X	G	K	V	S	C	A	R	Y
C	V	J	J	E	X	O	T	V	Q
X	O	X	Q	V	L	A	W	Q	J
X	Z	S	Q	G	E	E	G	L	X
Q	V	V	T	R	G	Q	T	Z	F
F	X	Z	T	U	Z	G	G	O	T
T	R	I	C	K	M	Z	V	A	N
Y	D	N	A	C	X	E	B	Q	V

TREAT PUMPKIN WITCH

CANDY SKELETON COSTUME

OWL BAT SCARY TRICK

Fitness

S	S	G	Q	M	F	F	X	A	W
T	F	E	N	A	I	F	Z	E	A
R	X	F	T	I	G	W	V	R	L
E	X	F	X	A	L	O	S	O	K
T	V	V	V	V	L	C	Y	B	X
C	F	V	G	Q	E	I	Y	I	F
H	V	O	F	C	Z	V	P	C	Z
I	J	Z	N	Q	F	X	F	V	X
N	V	A	V	X	R	U	N	Q	Q
G	D	F	F	X	Z	Z	Q	X	Z

YOGA STRETCHING CYCLING

DANCE PILATES AEROBIC

RUN JOG WALK SWIM

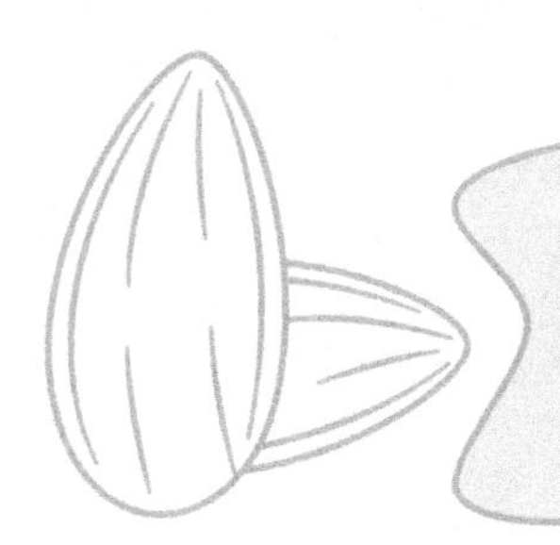

Dry Fruits And Nuts

Q	O	I	H	C	A	T	S	I	P
F	P	E	A	N	U	T	S	D	G
C	B	V	J	Q	B	F	Q	N	A
B	A	X	B	G	X	Y	D	O	P
F	G	S	V	G	Y	A	B	M	R
F	Q	Q	H	Q	T	J	B	L	I
T	U	N	L	E	Z	A	H	A	C
Y	V	B	S	Y	W	J	J	X	O
B	N	I	S	I	A	R	G	V	T
Y	Y	W	A	L	N	U	T	Q	J

DATES	ALMOND	CASHEW
RAISIN	WALNUT	APRICOT
PEANUTS	HAZELNUT	PISTACHIO

Currency

V	N	D	I	R	H	A	M	V	J
T	W	A	S	D	P	O	U	N	D
J	Q	K	U	S	O	O	R	U	E
Z	K	K	T	Y	X	L	G	T	J
V	S	S	Q	E	B	K	L	Z	F
B	X	F	E	T	R	V	V	A	T
J	C	P	Z	I	Y	E	N	K	R
G	U	W	A	B	W	C	J	B	F
R	C	L	C	D	I	N	A	R	F
X	X	C	F	G	Z	Z	S	Q	G

YEN	EURO	YUAN
RIAL	RUPEE	POUND
DINAR	DOLLAR	DIRHAM

Autumn

G	G	Z	J	E	X	F	H	Z	J
R	E	D	I	C	L	A	A	J	Z
N	G	X	Q	Q	Y	P	X	L	G
J	I	X	Q	R	Z	Z	P	Q	L
Q	Z	K	I	J	X	X	Q	A	Q
X	J	D	P	Q	X	X	Z	Q	Q
Q	E	Z	X	M	B	R	O	W	N
A	C	O	R	N	U	E	K	A	R
G	X	L	E	A	F	P	Q	X	G
Z	T	S	E	V	R	A	H	J	G

RAKE FALL LEAF ACORN

APPLE CIDER BROWN

PUMPKIN HAYRIDE HARVEST

Emotions

K	T	H	I	R	S	T	Y	E	H
Q	K	M	F	L	H	K	X	W	U
W	J	Q	E	A	F	C	K	L	N
Q	W	E	P	Q	I	F	K	O	G
Q	P	P	J	T	B	P	W	V	R
Y	Y	W	E	Q	F	R	W	E	Y
S	F	D	K	M	Z	O	A	D	Q
Q	A	W	F	J	J	U	K	V	J
K	W	D	J	F	K	D	F	M	E
S	U	R	P	R	I	S	E	D	J

SAD HAPPY LOVED PROUD

BRAVE SLEEPY HUNGRY

EXCITED THIRSTY SURPRISED

Vehicles

B C T
W I H E S
K N C A K C A
S A Y B C O K
T E Y E C U O O C C
U K O D L S R T U A
P I H S E H M E R R
B N Z J R T

BIKE	SCOOTER	CAR
ROCKET	SHIP	BUS
TRUCK	BICYCLE	YACHT

Furniture

E	Y	U	M	X	M	D	E	B	Q
L	Y	U	J	G	F	U	G	S	Y
B	D	E	S	K	L	G	W	O	G
A	X	R	M	M	E	M	A	F	R
T	Q	I	X	X	H	G	R	A	E
Y	Y	A	Z	M	S	Z	D	Z	S
J	Z	H	G	M	Q	Q	R	V	S
Y	J	C	P	I	L	L	O	W	E
Q	Z	G	X	V	Z	Q	B	V	R
V	H	C	N	E	B	J	E	J	D

DRESSER WARDROBE SOFA

BENCH PILLOW CHAIR

TABLE BED DESK SHELF

Fantasy Creatures

D	S	J	S	J	K	K	V	K	K
R	Q	V	B	K	E	I	N	E	G
A	U	N	I	C	O	R	N	K	W
Z	V	B	X	Q	Y	S	V	K	I
I	B	D	I	A	M	R	E	M	T
W	J	J	N	B	J	S	I	Q	C
E	L	F	E	J	J	J	V	A	H
V	S	N	O	G	A	R	D	S	F
K	V	Q	H	B	V	Q	J	Q	K
V	J	B	P	V	B	S	K	Q	J

ELF	DRAGON	WITCH
FAIRY	UNICORN	WIZARD
GENIE	PHOENIX	MERMAID

School

Q	J	G	Q	L	O	W	P	W	G
W	J	G	E	F	J	G	R	S	V
J	Z	A	F	Y	M	X	I	S	Q
V	R	I	T	R	A	O	N	E	L
N	C	Z	E	A	X	B	C	C	O
E	W	Y	A	R	E	H	I	E	C
V	Z	D	C	B	G	C	P	R	K
G	J	U	H	I	J	N	A	Z	E
W	W	T	E	L	Z	U	L	J	R
W	Q	S	R	W	Z	L	G	V	V

LOCKER LUNCHBOX TEACHER

RECESS PRINCIPAL LIBRARY

STUDY LEARN EXAM OFFICE

Subway Station

Q	Q	M	R	O	F	T	A	L	P
Q	J	U	B	P	J	Z	Y	B	Q
Z	Y	U	L	A	V	I	R	R	A
Q	S	Q	U	S	B	Y	Q	U	X
T	K	Q	B	S	J	J	Y	Q	X
E	C	T	A	E	S	C	U	U	N
K	A	W	I	N	D	O	W	S	I
C	R	U	Z	G	J	A	B	B	A
I	T	B	Q	E	X	C	Q	X	R
T	U	Q	Q	R	U	H	J	Q	T

SEAT WINDOWS TICKET

TRAIN PLATFORM TRACKS

COACH PASSENGER ARRIVAL

Math

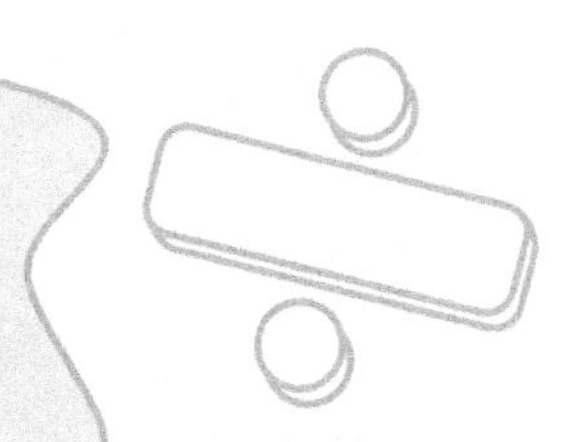

H	W	F	Z	H	Q	E	R	O	M
W	G	R	E	A	T	E	R	I	X
J	K	T	N	U	O	C	Y	H	Y
H	W	Q	Y	K	T	O	T	A	L
I	H	T	C	A	R	T	B	U	S
I	X	E	V	E	N	H	P	F	Q
J	I	F	R	E	B	M	U	N	I
W	Y	P	K	Z	P	L	E	S	S
W	P	F	D	D	O	W	Z	Q	W
X	Z	W	Y	K	P	H	A	D	D

EVEN GREATER TOTAL

COUNT SUBTRACT NUMBER

ADD ODD MORE LESS

Jewelry

T	N	E	D	N	O	M	A	I	D
U	I	C	U	Z	W	W	W	W	T
G	A	A	G	N	I	R	Y	E	J
N	H	L	R	U	J	Q	L	P	W
I	C	K	F	A	Z	E	E	F	Q
R	F	C	U	J	C	N	J	X	L
R	Y	E	V	A	D	F	V	R	W
A	X	N	R	A	B	E	A	D	S
E	F	B	N	Q	X	E	Y	Y	Y
U	X	T	Z	X	P	Y	Z	Y	Q

CHAIN EARRING NECKLACE
DIAMOND PENDANT BRACELET
RING PEARL TIARA BEADS

Advanced Sight Words

X	X	T	F	F	T	W	Z	X	J
J	Z	X	O	M	Q	U	J	Z	G
W	J	F	W	G	U	Z	O	Z	R
D	L	U	O	C	E	X	K	B	E
E	K	X	W	G	S	T	Z	X	A
E	S	F	N	K	T	Z	H	Z	T
J	V	A	Z	F	I	F	Z	E	K
F	H	E	E	W	O	F	X	W	R
C	F	K	R	L	N	J	W	K	J
F	X	M	J	Y	P	W	Z	M	W

ABOUT QUESTION GREAT

COULD TOGETHER CHANGE

EVERY PLEASE

Indoor Games

P	U	Z	Z	L	E	W	M	K	A
S	D	X	K	F	K	X	O	G	W
D	A	X	W	O	Q	Q	N	X	X
R	R	K	Q	O	Q	E	O	K	W
A	T	K	L	S	J	W	P	K	Q
C	X	U	S	B	W	W	O	X	X
Q	D	E	K	A	K	W	L	Q	X
O	H	K	K	L	X	Q	Y	X	K
C	W	X	Q	L	L	E	G	O	S
X	X	W	A	I	V	I	R	T	K

JENGA MONOPOLY PUZZLE

CARDS FOOSBALL TRIVIA

DART LUDO LEGOS CHESS

Plants and Trees

T	W	T	H	U	F	S	X	M	C
Z	O	H	Q	H	S	E	A	S	Q
U	L	S	Y	Z	U	P	R	Z	V
M	L	Q	H	U	L	C	H	N	S
L	I	S	J	E	X	F	I	R	O
A	W	C	E	N	I	P	T	C	A
P	E	D	O	O	W	G	O	D	K
C	U	L	Y	Y	Z	T	Y	V	V
H	Z	Q	M	X	Y	Z	H	Y	C
C	T	H	H	O	O	B	M	A	B

FERN WILLOW MAPLE

PALM DOGWOOD BAMBOO

FIR OAK ELM PINE

Pets

E	A								Q	A
L	S	H	A	M	S	T	E	R	N	W
T	L	Y	L	T	I	B	B	A	R	B
R	O	S	F	I	D	E	R	A	A	A
U	O	R	E	I	H	T	D	P	D	S
T	P	E	G	F	S	L	M	O	T	H
P	A	R	R	O	T	H	L	N	G	A
P	A	G	U	A	R	O	T	Y	L	Y
	C	A	T	K	P	A	A	J	O	
		S	N	A	R	L	T	A		

CAT	DOG	RAT
FISH	PONY	PARROT
RABBIT	TURTLE	HAMSTER

Stationery

F	Z	V	S	R	E	S	A	R	E
R	M	L	C	Z	F	Q	T	Q	J
E	A	X	I	D	F	A	D	Q	Z
L	R	V	S	C	P	Z	D	J	G
P	K	Q	S	E	N	F	V	V	X
A	E	K	O	O	B	E	T	O	N
T	R	W	R	Z	D	X	P	F	F
S	W	J	S	G	R	E	L	U	R
W	J	C	R	A	Y	O	N	S	V
R	E	N	E	P	R	A	H	S	Q

STAPLER NOTEBOOK SCISSORS

ERASER SHARPENER CRAYONS

TAPE RULER PENCIL MARKER

Forest

B	U	S	H	S	P	A	L	X	P
M	J	Y	P	N	N	Z	L	Q	D
Z	O	Q	J	I	Y	P	A	K	P
P	D	S	M	A	Q	Q	F	C	P
P	B	A	S	T	Q	J	R	O	Q
J	L	P	S	N	S	E	E	R	T
S	J	Y	A	U	Q	X	T	Y	J
D	X	P	R	O	E	V	A	C	P
X	P	D	G	M	P	D	W	J	D
J	X	Z	Z	S	T	R	E	A	M

GRASS WATERFALL STREAM

TREES MOUNTAINS ANIMALS

ROCK MOSS BUSH CAVE

Hello

Languages

P V W Q Z F N V C K

V O Q K R W A H H H

Z W R E Q K M S I S

V Z N T Z Q R I N I

Q C I V U W E L E N

H V V D Y G G G S A

Z K K Q N K U N E P

Y Z Y Y V I K E Z S

A R A B I C H V S Q

W E S E N A P A J E

Bonjour

नमस्ते

HINDI	CHINESE	ARABIC
FRENCH	JAPANESE	ENGLISH
GERMAN	PORTUGUESE	SPANISH

At the Zoo

X Q J R E P E E K J
X J Y X C Y Y J Z J
S X Q Y N G Y Q J H
L Q X Z E N E J A Z
A X J J F I D B B Y
M C Z R O T I S I V
I X A Z X T U Y R X
N J J G A E G X D Z
A Z J T E P X Q S Q
X X W I L D L I F E

KEEPER HABITAT ANIMALS
PETTING WILDLIFE VISITOR
CAGE BIRDS GUIDE FENCE

Grocery Store

S	Y	R	I	A	D	T	Z	R	W
E	W	W	W	X	W	E	J	E	J
L	P	Z	W	F	U	K	L	I	Z
B	J	F	Q	O	Q	S	X	H	W
A	T	A	E	M	I	A	P	S	U
T	F	F	U	A	U	B	O	A	P
E	Z	F	W	C	X	Q	J	C	P
G	O	Q	A	S	K	C	A	N	S
E	Q	R	X	B	R	E	A	D	P
V	T	W	X	U	O	O	Z	P	J

CART	SNACKS	DAIRY
MEAT	CASHIER	BREAD
AISLE	VEGETABLES	BASKET

Subjects

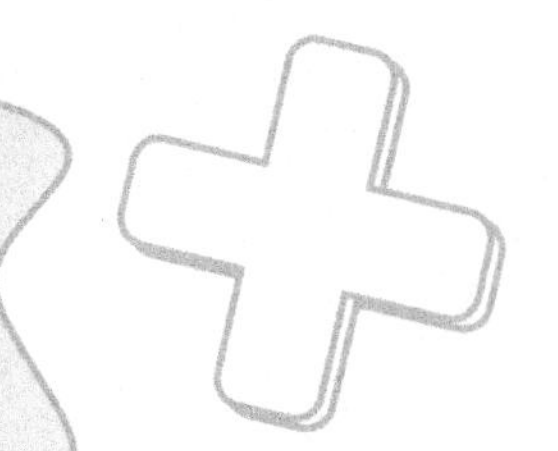

S	K	X	V	V	J	L	Q	Z	X
H	J	D	R	A	W	I	N	G	B
T	Z	V	Z	Z	B	T	Z	K	V
A	X	V	E	C	N	E	I	C	S
M	F	I	N	E	A	R	T	S	B
V	G	E	O	G	R	A	P	H	Y
B	J	Z	Y	R	O	T	S	I	H
B	K	Z	K	J	K	U	K	K	X
C	I	S	U	M	J	R	B	K	B
J	B	G	E	O	M	E	T	R	Y

MATHS FINE ARTS DRAWING

MUSIC GEOGRAPHY HISTORY

SCIENCE LITERATURE GEOMETRY

Seasons

S	P	R	I	N	G	V	V	B	N	B
R	J	D	K	Z	K	D	L	O	O	K
E	J	Z	Q	Q	Z	O	O	N	Q	Z
T	V	E	Q	V	O	S	F	Q	J	V
N	V	N	D	M	N	I	V	D	Z	X
I	A	I	F	O	R	E	C	A	S	T
W	U	H	M	E	E	D	X	J	Z	J
Q	T	S	J	X	M	R	A	I	N	Y
J	U	N	X	Z	M	Z	V	J	V	V
K	M	U	Q	X	U	D	K	Z	X	K
D	N	S	Z	K	S	X	X	V	Z	Q

RAINY MONSOON SUMMER

SUNSHINE FORECAST AUTUMN

SPRING BONFIRE BLOOM WINTER

Amusement Park

Y X J Q V V J J B Y Q

V J S E Z I R P X V N

J B B J B Y Y Q L U Q

T Q R I D E S E F X J

E X V V X W S Y V B P

K Q V J O U Q X X Y A

C B Q H O V G B Y Q R

I Y S R X Y Y A J B A

T J A B J V Q J M X D

V C Y S L I D E J E E

Q V E D A C R A B X S

SLIDE PRIZES TICKET

PARADE CAROUSEL ARCADE

FUN GAMES RIDES SHOWS

Positive Words

T	Y	Q	J	M	O	D	E	E	R	F
S	Z	Q	X	J	Q	Z	Q	P	Z	E
U	E	V	E	I	L	E	B	O	X	R
R	X	J	Q	J	Z	Q	Q	W	E	I
T	Q	Y	Q	Q	X	Z	J	E	P	P
Z	K	G	G	X	G	Q	G	R	O	S
Q	I	P	E	A	C	E	X	Q	H	N
Q	N	X	G	G	J	X	J	Y	J	I
J	D	T	R	O	F	M	O	C	Y	Q
G	Q	Q	Q	J	G	Y	H	E	L	P
Y	A	C	H	I	E	V	E	X	J	Q

TRUST BELIEVE COMFORT

POWER INSPIRE ACHIEVE FREEDOM

HOPE KIND HELP PEACE

Flowers

S T
Y L I L
E S A E
R A M A R I G O L D
S O K P R A S H O B
H S S A D D N P
E L N O I E
O S D O G H
A T Y T U L I P C A
S U N F L O W E R A
S U N A T O

LILY	SUNFLOWER	DAISY
ROSE	MARIGOLD	LOTUS
PANSY	ORCHID	TULIP

Transportation

D	J	J	R	Y	X	Q	Q	Z	D	E
R	D	Z	R	I	B	J	V	V	C	X
D	E	R	Z	U	C	X	V	N	J	E
Z	E	T	S	Q	X	K	A	Q	N	G
F	V	A	P	X	V	L	S	A	D	V
D	V	O	D	O	U	Z	L	H	X	Z
X	D	B	X	B	C	P	G	V	A	J
S	U	B	M	A	R	I	N	E	Z	W
Q	J	A	D	I	V	Q	L	Q	V	X
G	V	G	A	J	G	X	Z	E	X	G
V	J	Q	N	I	A	R	T	V	H	Z

BUS	AMBULANCE	FERRY
BOAT	SUBMARINE	RICKSHAW
TRAIN	HELICOPTER	AIRPLANE

Winter

S	U	F	E	Z	E	E	R	F	U	D
N	H	J	I	Y	Q	X	U	S	U	G
E	D	U	U	R	U	X	N	X	J	L
T	Y	D	D	Q	E	O	D	Y	C	O
T	H	J	D	U	W	P	D	J	O	V
I	Y	D	D	M	D	H	L	X	A	E
M	H	Y	A	Y	D	U	J	A	T	S
S	H	N	U	D	X	H	Y	J	C	D
Q	K	Q	R	E	T	A	E	W	S	E
D	H	I	D	S	C	A	R	F	Q	Y
S	T	O	O	B	J	H	H	U	D	U

SCARF SNOWMAN FREEZE

GLOVES SWEATER MITTENS

SKI COAT FIRE PLACE BOOTS

Gadgets

F	R	J	X	C	A	M	E	R	A	Q
J	G	O	V	V	O	V	W	W	X	G
X	G	J	U	B	G	Q	Z	Z	V	F
Z	W	V	I	T	G	J	R	Z	X	S
Q	J	L	X	G	E	G	E	W	G	R
T	E	L	B	A	T	R	T	V	F	E
H	E	A	D	P	H	O	N	E	G	K
X	V	V	Z	Z	Y	G	I	X	X	A
C	O	M	P	U	T	E	R	V	J	E
W	L	A	P	T	O	P	P	J	W	P
W	V	X	J	F	W	W	Y	G	W	S

MOBILE	SPEAKER	ROUTER
LAPTOP	COMPUTER	TABLET
CAMERA	HEADPHONE	PRINTER

Thanksgiving

Q	G	L	Z	B	D	G	G	P	X	B
B	P	G	E	I	T	U	R	K	E	Y
P	G	F	N	F	Z	Q	M	W	A	H
G	F	N	A	X	T	E	P	U	G	A
Q	E	W	Q	M	M	O	T	Z	Z	R
R	A	G	X	O	I	U	V	Y	B	V
B	S	P	R	W	M	L	O	E	B	E
Z	T	I	B	N	W	J	Y	P	R	S
D	E	C	O	R	A	T	I	O	N	T
S	P	G	B	P	X	Z	Q	X	W	B
X	X	G	P	N	O	I	N	U	E	R

LEFTOVER DECORATION MEMORIES
JOY FEAST DINNER REUNION
FAMILY TURKEY AUTUMN HARVEST

Classroom

G	X	X	V	W	Y	G	W	M	M	Q
V	N	W	M	W	G	B	W	F	M	B
P	R	O	J	E	C	T	O	R	B	A
Y	D	Z	T	M	Z	X	W	O	G	C
N	E	X	V	E	F	W	A	M	K	K
O	S	Q	V	F	B	R	W	Z	F	P
S	K	Y	M	W	D	O	V	X	G	A
S	R	I	A	H	C	F	O	Y	Y	C
E	Z	F	G	V	Q	Y	Z	K	Z	K
L	K	L	A	H	C	F	W	Z	Z	X
F	Z	W	S	T	U	D	E	N	T	S

BOARD PROJECTOR LESSON

BACKPACK NOTEBOOK STUDENTS

DESK BOOK CHALK CHAIR

At the Mall

Z	G	E	L	S	I	A	X	X	V	V
V	Q	J	V	Z	M	X	N	J	V	G
E	Z	E	D	I	S	P	L	A	Y	N
C	S	L	Z	V	N	L	L	I	B	T
I	H	A	Z	Q	G	K	K	N	Z	R
R	O	C	G	T	J	V	X	X	N	O
P	P	S	S	E	R	O	T	S	K	L
N	S	Z	J	L	N	M	Z	G	Q	L
G	K	Z	V	L	X	G	G	N	K	E
Q	V	E	S	A	H	C	R	U	P	Y
Q	K	M	J	W	G	L	I	F	T	Q

TROLLEY DISPLAY PURCHASE
AISLE STORES WALLET
BILL LIFT SHOPS SCALE

Action Words

J	V	J	B	X	K	Z	J	J	X	D
X	Z	X	X	N	B	Y	F	Q	J	A
B	X	J	I	R	F	F	F	G	B	N
X	B	R	E	W	F	L	Y	U	J	C
Y	D	A	R	Y	K	E	J	H	B	E
V	D	I	Q	R	J	A	Y	Y	F	S
P	T	X	O	H	X	R	Z	V	M	J
E	J	W	V	G	V	N	X	I	F	K
V	X	J	Y	U	P	P	L	Z	O	X
F	Q	X	P	A	B	E	V	O	V	P
V	V	V	F	L	J	V	C	Z	P	X

SMILE LEARN WRITE

DRINK LAUGH DANCE

HUG COOK READ WORK

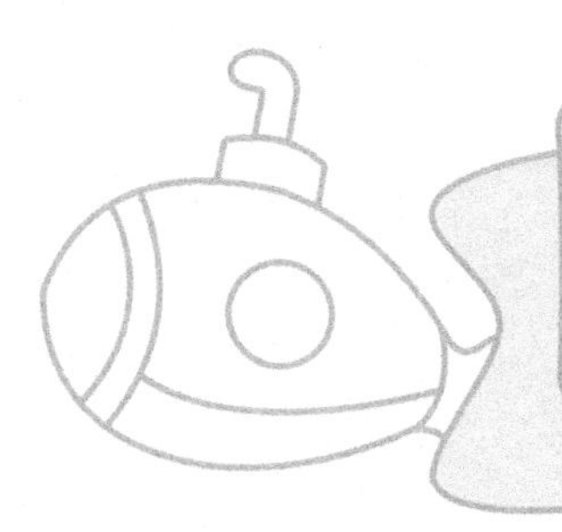

Ocean Life

V	V	X	H	Z	X	W	Q	W	X	X
J	V	W	X	T	W	W	V	Z	Q	W
Q	E	N	I	R	A	M	Z	E	E	L
W	W	L	Q	Z	Q	B	K	X	W	V
L	Q	V	L	X	V	E	N	W	V	V
X	A	V	Q	Y	L	Z	Q	U	X	V
V	X	R	E	P	F	Z	Q	E	S	W
Z	F	D	O	Q	Q	I	A	Q	V	X
X	I	X	W	C	W	G	S	W	Q	Q
T	N	W	X	V	L	X	W	H	X	Q
W	S	V	X	A	Z	Z	X	Z	V	V

EEL	MARINE	FINS
TIDE	JELLYFISH	ALGAE
KELP	SUNBATH	CORAL

Art

X	Z	J	Z	P	D	E	S	I	G	N
Z	K	C	J	Z	O	Q	X	F	N	X
M	O	S	A	I	C	T	Q	B	O	B
B	J	B	M	N	X	Q	T	K	Y	J
B	K	Q	E	K	V	J	J	E	A	F
H	G	U	O	D	Y	A	L	P	R	B
K	Z	X	P	F	J	B	S	X	C	Y
J	R	O	L	O	C	R	E	T	A	W
K	T	N	I	R	P	D	N	A	H	Z
J	E	G	N	O	P	S	Z	X	B	J
F	Z	K	J	C	O	L	L	A	G	E

HANDPRINT PLAY DOUGH WATERCOLOR

DESIGN CANVAS COLLAGE POTTERY

POEM CRAYON SPONGE MOSAIC

Desserts

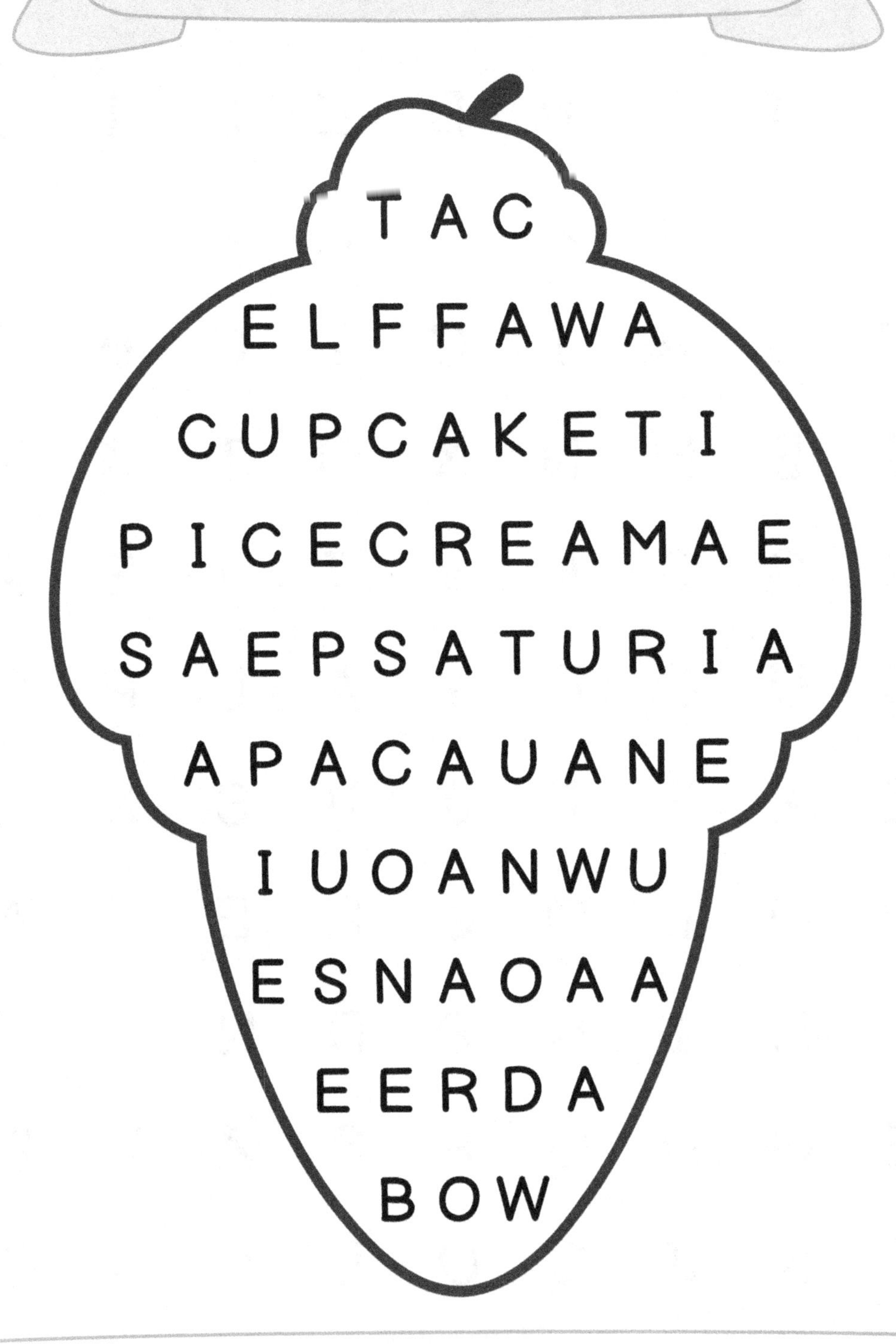

PIE CAKE WAFFLE
SCONE CUPCAKE BROWNIE
DONUT ICE CREAM

Computer

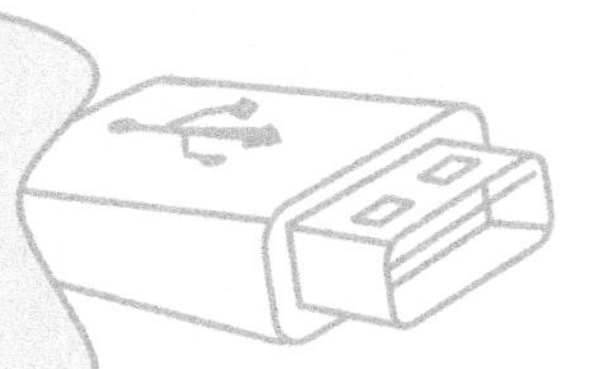

H	Q	H	D	E	S	K	T	O	P	B
Z	Z	B	H	R	C	Z	X	X	H	J
B	B	Q	E	A	B	O	J	H	Z	H
Z	B	V	P	W	X	X	P	J	B	P
Q	A	Q	R	T	H	Z	Q	Y	R	R
S	Z	B	I	F	H	Q	Q	O	E	X
Q	E	X	N	O	H	Z	G	D	B	H
H	S	Z	T	S	J	R	L	B	B	Q
B	U	X	E	H	A	O	J	Q	B	X
X	O	F	R	M	F	X	I	C	O	N
B	M	H	M	O	N	I	T	O	R	J

ICON SAVE COPY MOUSE

FOLDER MONITOR PRINTER

PROGRAM DESKTOP SOFTWARE

Camping

Z	F	B	O	N	F	I	R	E	C	X
D	I	V	J	Y	Y	X	Z	A	T	D
Y	S	J	W	X	X	D	M	V	H	D
V	H	Z	V	D	V	P	J	X	G	X
C	I	Y	D	V	S	M	V	Y	I	J
O	N	Z	H	I	J	A	X	D	L	Z
M	G	D	T	I	Z	P	W	V	H	D
P	T	E	V	W	K	Y	J	D	S	Y
A	W	E	E	U	Q	E	B	R	A	B
S	D	Y	N	X	J	Y	V	Z	L	J
S	Y	V	J	T	W	X	D	Z	F	W

MAP	CAMPSITE	BONFIRE
TENT	BARBEQUE	FISHING
HIKE	FLASHLIGHT	COMPASS

Summer

Y	J	F	Q	X	L	Y	F	J	Y	Q
H	C	A	E	B	E	Q	Q	Z	F	Y
L	Y	S	X	J	M	F	F	J	G	Y
O	J	W	F	J	O	Q	X	Z	N	Y
O	E	I	Z	Y	N	J	Q	Y	I	Z
P	D	M	J	Z	A	Q	X	Q	K	Z
F	I	S	L	A	D	N	A	S	I	Z
F	S	U	Z	X	E	Z	J	F	H	Q
F	T	I	Z	N	T	R	I	P	Z	J
Y	U	T	U	Z	Y	Q	J	J	F	F
J	O	S	N	O	I	T	A	C	A	V

HIKING POOL SWIMSUIT

SANDALS SUN VACATION

LEMONADE TRIP OUTSIDE BEACH

Beach

S	L	L	E	V	O	H	S	F	F	D
S	E	L	Z	X	Q	U	Q	T	J	D
F	E	A	U	D	Z	M	K	U	X	C
K	C	V	S	G	J	B	K	N	K	A
X	I	Z	A	H	A	R	X	O	F	S
K	N	K	K	W	E	E	F	C	D	T
Z	C	Q	D	K	L	L	S	O	X	L
J	I	Q	Y	E	J	L	L	C	D	E
Q	P	Z	W	F	Z	A	Y	S	Y	Z
X	Q	O	Q	Q	K	K	L	L	A	B
X	T	S	U	N	S	C	R	E	E	N

SHOVEL SUNSCREEN SEASHELLS

COCONUT SEAGULL PICNIC UMBRELLA

BALL WAVES TOWEL CASTLE

Ice Cream Flavors

F	O	I	H	C	A	T	S	I	P	J
K	Y	C	O	C	O	N	U	T	Q	E
J	D	R	D	J	D	D	K	K	T	T
F	D	K	R	J	D	D	J	A	D	U
A	Y	R	R	E	H	C	L	X	C	N
M	L	Q	F	X	B	O	J	A	F	L
A	F	L	Q	Q	C	W	R	J	Q	E
N	Q	D	I	O	F	A	A	F	X	Z
G	D	F	H	N	M	K	J	R	F	A
O	X	C	J	E	A	D	Q	J	T	H
K	X	D	L	D	X	V	K	K	K	S

MANGO	CHOCOLATE	CARAMEL
CHERRY	PISTACHIO	COCONUT
VANILLA	STRAWBERRY	HAZELNUT

Airport

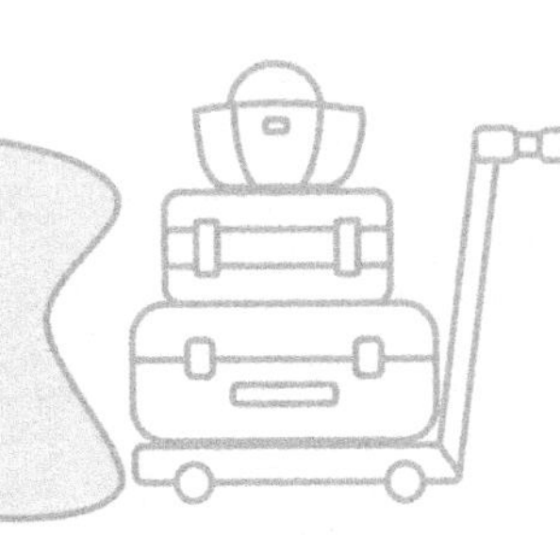

S	E	C	U	R	I	T	Y	F	H	G
X	Q	Y	A	W	N	U	R	T	V	A
E	G	T	Q	X	H	Z	H	I	P	T
X	G	N	R	Z	Z	V	V	C	A	E
X	Q	A	I	O	F	Z	X	K	S	R
J	H	X	G	D	L	V	H	E	S	E
V	H	X	Z	G	R	L	J	T	P	N
X	H	X	F	F	U	A	E	S	O	N
V	J	J	J	J	V	L	O	Y	R	A
T	E	R	M	I	N	A	L	B	T	C
J	H	E	N	A	L	P	R	I	A	S

BOARDING PASSPORT GATE

SECURITY TERMINAL LUGGAGE AIRPLANE

TICKETS RUNWAY SCANNER TROLLEY

S	K	F	V	J	J	J	Y	Y	V	T
E	S	U	O	H	E	E	R	T	R	V
H	S	E	E	S	A	W	Y	A	F	V
S	Q	X	V	Q	K	X	M	V	F	Y
U	K	V	Z	T	I	P	D	N	A	S
B	Q	J	E	Z	O	V	X	Q	F	B
N	E	R	D	L	I	H	C	J	S	E
Q	V	K	I	F	J	Y	K	W	M	N
X	J	N	L	K	Y	F	I	J	F	C
X	E	F	S	Z	K	N	Q	F	V	H
Z	Q	Z	J	F	G	Q	Y	K	K	Q

SLIDE	SWING	BENCH
SEESAW	BUSHES	SANDPIT
CHILDREN	TREE HOUSE	TRAMPOLINE

Nature

H	Z	Z	Q	E	T	E	S	N	U	S
L	H	X	C	N	Z	S	K	Y	J	Q
L	X	X	L	V	P	Z	F	Z	P	W
A	X	S	O	I	L	R	O	G	G	O
F	J	Q	U	R	G	E	R	J	S	B
W	G	Z	D	O	J	V	E	G	U	N
O	P	Q	Z	N	Z	I	S	J	N	I
N	J	X	J	M	G	R	T	J	R	A
S	J	Y	R	E	N	E	C	S	I	R
G	G	G	H	N	Z	X	J	Z	S	G
H	P	Z	Q	T	J	Q	J	H	E	Z

SUNRISE SNOW FALL ENVIRONMENT

SKY RIVER FOREST SCENERY

SOIL CLOUD SUNSET RAINBOW

Hobbies

Y	R	E	T	T	O	P	P	B	X	E
V	H	W	U	V	M	A	G	I	C	K
X	J	W	H	U	I	G	B	G	Q	O
X	U	V	H	N	J	N	N	N	V	A
H	U	J	T	B	T	I	H	I	Q	R
V	J	I	U	R	C	R	U	K	W	A
B	N	H	A	N	U	O	J	O	H	K
G	H	H	A	Z	J	L	J	O	H	B
U	X	D	Z	H	W	O	Q	C	Q	J
C	R	A	F	T	S	C	B	J	X	V
Z	H	G	N	I	G	N	I	S	V	U

DANCING KARAOKE SINGING

POTTERY PAINTING COLORING

ART MAGIC CRAFTS COOKING

Christmas

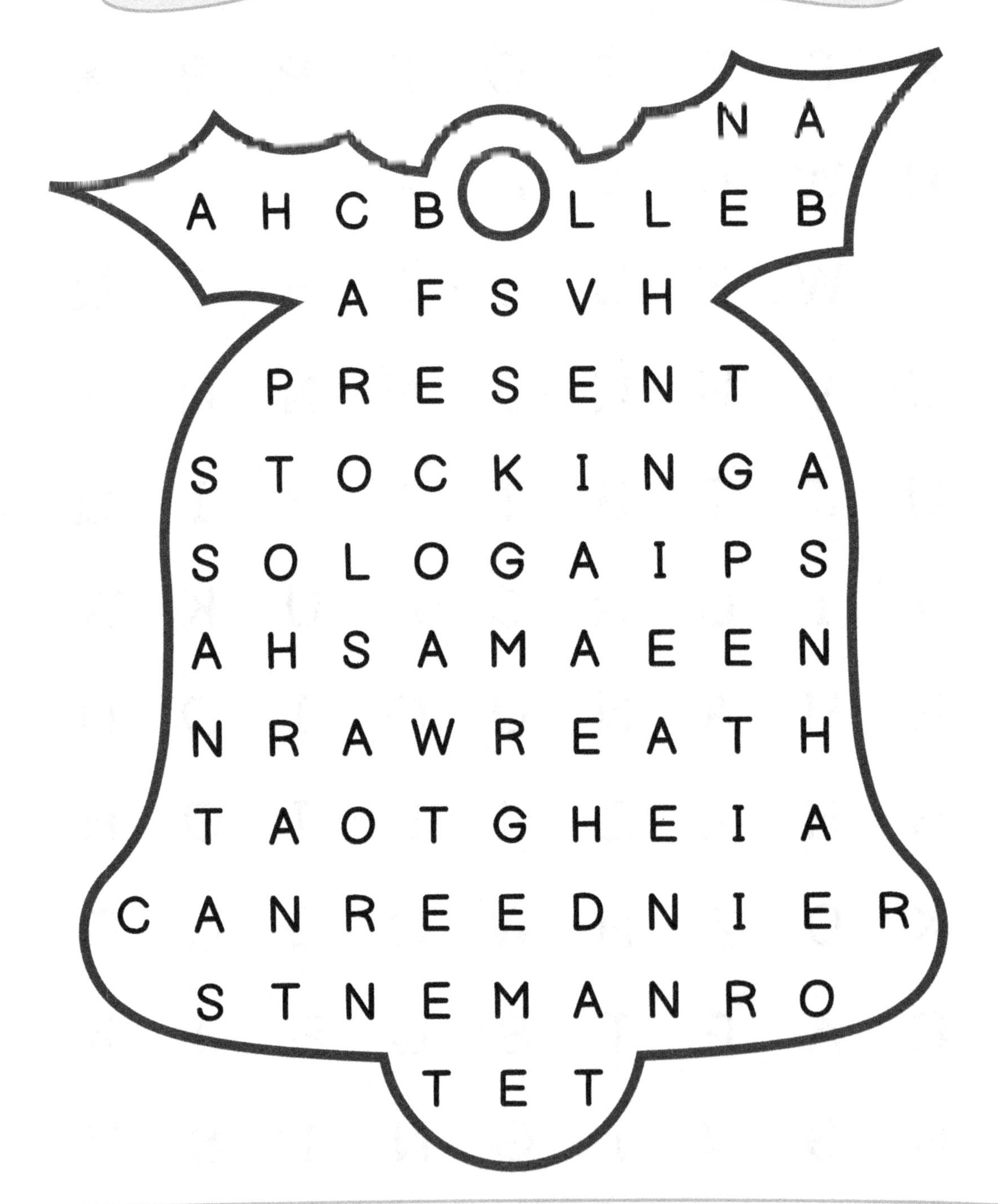

CAROLS	SNOWMAN	WREATH
PRESENT	REINDEER	ORNAMENT
SANTA	STOCKING	BELL

Fun Activities

M E W C I N C I P J T

O L Q Q W Q N X X F D

V Z B W J O W J A W R

I Z O W O Q Q R X W A

E U A T J Q C J W W Y

S P R S E M Y H R X K

X A D Q X J W W Q X C

C X G O R I G A M I A

X Q A X J J Q X J Q B

Q E M I T Y R O T S W

X X E W W J Q Q X J J

ORIGAMI BOARD GAME CARTOON

BACKYARD STORYTIME RHYMES

CRAFT PICNIC PUZZLE MOVIES

New Year

Q	S	K	R	O	W	E	R	I	F	X
X	Q	G	L	I	T	T	E	R	X	K
T	N	J	S	R	E	E	H	C	C	E
H	X	W	Z	Z	P	Z	R	O	T	I
G	L	X	O	V	J	A	L	A	Z	T
I	J	A	Z	D	D	C	R	Z	J	T
N	V	Q	N	N	T	B	J	T	X	E
D	V	Z	E	T	E	N	V	J	Y	F
I	V	L	J	L	E	Z	U	Z	Q	N
M	A	J	E	Z	J	R	Z	O	Z	O
C	V	C	Q	X	J	Q	N	V	C	C

FIREWORKS COUNTDOWN CELEBRATE

LANTERN CLOCK CALENDAR CONFETTI

PARTY MIDNIGHT CHEERS GLITTER

Outdoor Games

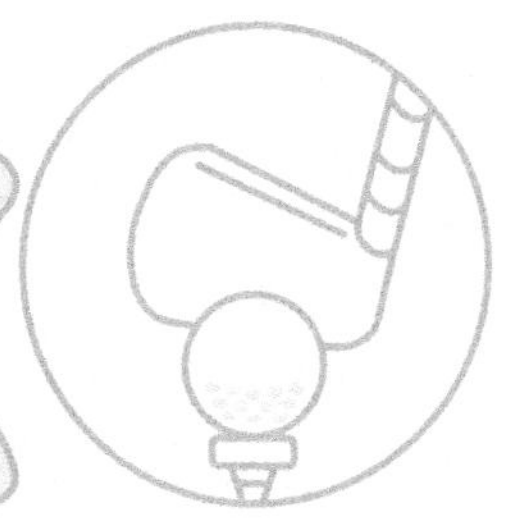

Q	Q	N	A	R	C	H	E	R	Y	M
G	V	O	Z	S	P	X	W	J	A	P
N	O	T	P	X	O	P	W	R	J	F
I	L	N	Q	Z	Q	C	A	Q	Z	E
I	L	I	P	W	J	T	C	Q	Q	N
K	E	M	W	G	H	W	Q	E	P	C
S	Y	D	J	O	J	Z	Q	X	R	I
Z	B	A	N	L	P	Q	Q	Q	Z	N
Q	A	B	X	F	W	X	P	J	P	G
J	L	B	A	S	E	B	A	L	L	X
Z	L	Q	X	Q	X	R	U	G	B	Y

MARATHON BADMINTON BASEBALL

FENCING ARCHERY VOLLEYBALL

GOLF RUGBY SKING SOCCER

Months

Z	Z	K	Q	K	H	C	R	A	M	J
K	W	Z	A	U	G	U	S	T	W	U
Z	W	Q	X	W	Q	X	Z	Y	R	L
Y	R	A	U	R	B	E	F	A	E	Y
Y	R	A	U	N	A	J	K	M	B	W
Q	E	Z	Q	W	W	J	Z	X	M	K
Q	B	X	K	W	K	X	U	Q	E	Q
N	O	V	E	M	B	E	R	N	C	Q
K	T	R	E	B	M	E	T	P	E	S
Z	C	Q	Z	A	P	R	I	L	D	Z
Q	O	Q	W	X	Q	W	Q	Q	Z	X

JANUARY FEBRUARY MARCH APRIL
MAY JUNE JULY AUGUST
SEPTEMBER OCTOBER NOVEMBER DECEMBER

Yummy Drinks

R	S	G	R	Q	B	P	G	X	M	Z
A	O	E	E	F	F	O	C	I	B	V
O	D	Q	Q	Z	B	B	L	Q	A	Q
C	A	V	Z	B	X	K	X	B	E	B
O	R	W	R	W	S	Z	Q	V	T	J
C	Z	X	R	H	G	Q	V	W	D	U
T	E	D	A	N	O	M	E	L	E	I
O	X	K	B	P	V	P	Z	Q	C	C
H	E	I	H	T	O	O	M	S	I	E
V	W	P	Z	B	V	P	V	T	E	A
Q	W	W	V	V	Y	H	S	U	L	S

LEMONADE HOTCOCOA SMOOTHIE

COFFEE MILKSHAKE ICED TEA

TEA SODA JUICE SLUSHY

Green Vegetables

V	X	J	R	E	C	Q	V	D	M	X
X	J	W	J	E	G	E	J	V	I	X
V	A	F	W	D	B	A	L	F	N	F
J	J	R	X	F	I	M	B	E	T	F
E	S	F	T	Q	L	J	U	B	R	D
C	P	W	Q	I	O	D	W	C	A	Y
U	I	N	I	H	C	C	U	Z	U	C
T	N	X	F	P	C	H	X	Q	D	C
T	A	Q	J	E	O	J	O	W	F	Q
E	C	Q	V	A	R	J	F	K	Q	F
L	H	J	Q	S	B	V	F	W	E	X

CABBAGE ARTICHOKE ZUCCHINI
LETTUCE CUCUMBER BROCCOLI
PEAS MINT CELERY SPINACH

Circus

Q	E	C	N	E	I	D	U	A	X	V
V	R	K	V	V	X	K	S	Q	Q	Q
X	E	S	X	X	K	N	X	M	Q	U
K	T	V	H	K	W	X	Q	A	E	N
B	A	L	L	O	O	N	S	G	Z	I
N	E	V	L	V	W	X	X	I	E	C
O	E	C	X	V	Q	Q	V	C	P	Y
N	R	E	L	G	G	U	J	I	A	C
N	I	V	Q	V	V	X	X	A	R	L
A	F	K	Q	Q	K	V	X	N	T	E
C	V	K	V	K	X	Q	Q	V	K	Q

TRAPEZE BALLOONS UNICYCLE
MAGICIAN FIRE EATER AUDIENCE
SHOW CLOWNS CANNON JUGGLER

Spring

K	Z	K	W	Q	Z	N	K	H	Q	X
J	V	V	J	A	Q	Z	E	H	V	H
B	U	N	N	Y	R	U	F	E	Z	F
R	Q	G	N	I	P	M	A	C	R	K
E	W	M	J	F	Q	B	I	V	Q	G
T	Z	O	K	F	F	R	J	N	J	Q
S	V	S	B	J	K	E	Q	H	G	H
A	R	S	H	N	V	L	J	V	H	Q
E	A	O	J	H	I	L	B	H	Z	J
K	I	L	V	F	V	A	V	U	Z	K
K	N	B	F	Z	V	Z	R	H	D	Q

EASTER RAINBOW WARMING

BLOSSOM UMBRELLA CAMPING

BUD RAIN BUNNY GREEN

Calendar

J	X	G	Q	D	G	G	Q	Q	Z	X
X	P	Z	A	P	Z	J	C	C	Y	P
G	Q	Y	G	D	X	P	Z	Q	A	J
C	S	P	P	A	Y	X	C	C	D	G
L	A	V	I	T	S	E	F	G	I	X
E	Z	J	G	E	G	H	A	Z	L	Q
V	G	Q	Z	J	Q	C	T	R	O	J
E	K	S	R	E	B	M	U	N	H	P
N	Q	E	P	Q	X	Q	Z	X	O	C
T	X	C	E	X	J	Q	C	Q	J	M
S	P	Z	X	W	C	Z	J	G	C	Q

WEEK	DAYS	MONTH
YEAR	HOLIDAY	FESTIVAL
NUMBERS	EVENTS	DATE

Festivals

L	P	X	Q	Z	X	J	Q	K	Z	X
A	H	A	L	L	O	W	E	E	N	X
V	Y	A	D	I	R	F	D	O	O	G
I	K	Q	K	B	R	Z	Q	Z	X	B
N	L	X	J	E	J	K	K	U	X	J
R	Q	A	T	R	A	E	Y	W	E	N
A	B	S	W	J	K	B	Z	U	K	Z
C	A	K	Z	I	X	U	X	P	X	X
E	Z	B	U	J	D	K	X	X	Q	J
S	A	M	T	S	I	R	H	C	Q	X
K	Z	K	Q	K	U	P	Z	X	Z	K

EASTER CHRISTMAS HALLOWEEN

NEW YEAR CARNIVAL GOOD FRIDAY

DIWALI

House

BEDROOM DINING SOFA

DOOR KITCHEN ROOF

Answer Key

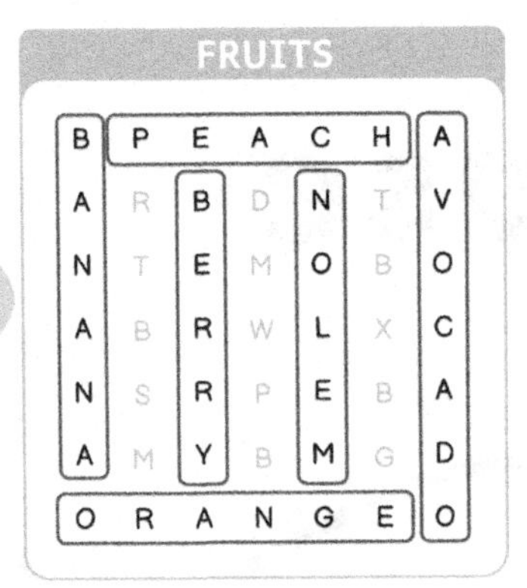

BIRTHDAY

B	A	L	L	O	O	N
P	M	G	I	F	T	S
A	Y	E	N	K	R	F
R	J	E	K	A	C	C
T	P	I	N	A	T	A
Y	B	T	L	H	D	R
F	R	I	E	N	D	S

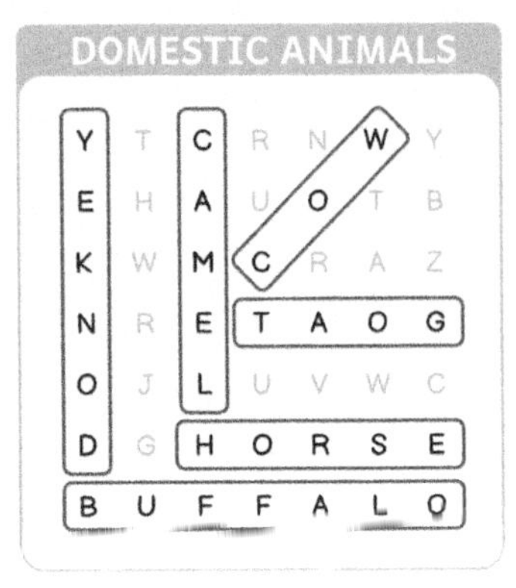

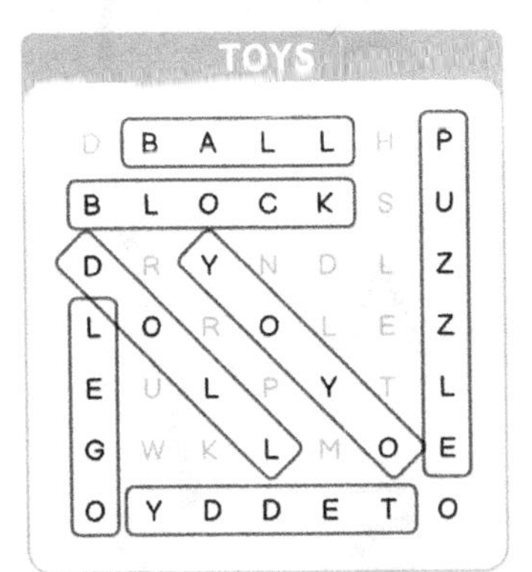

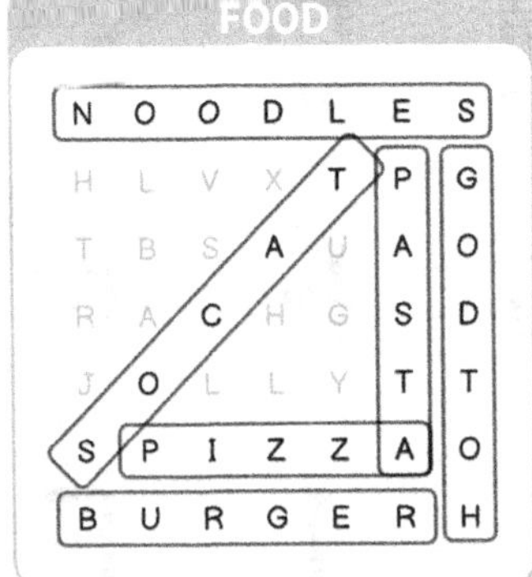

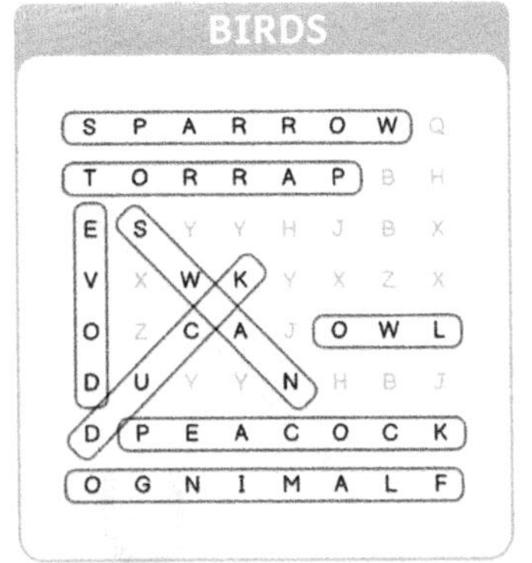

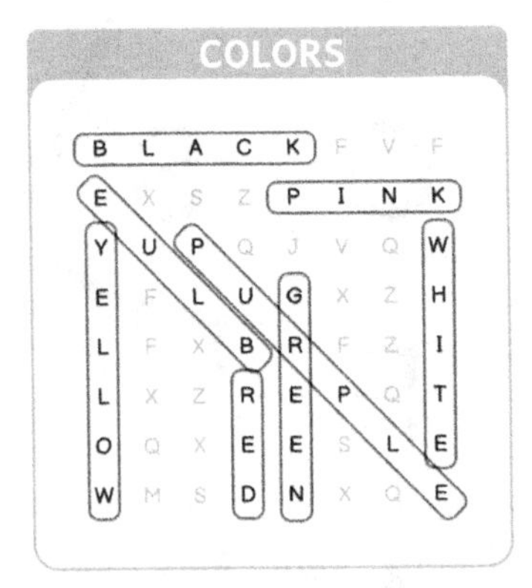

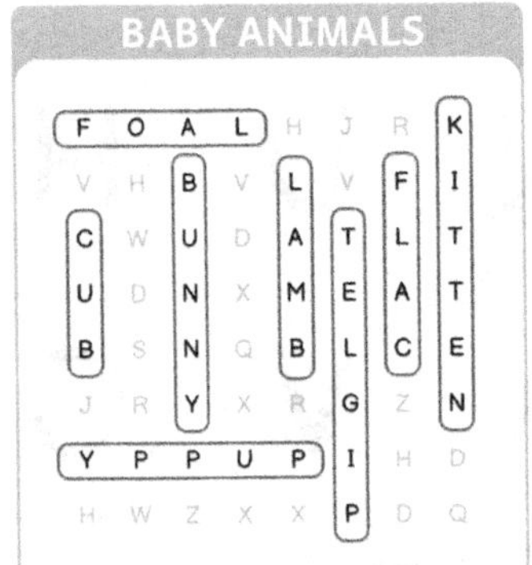

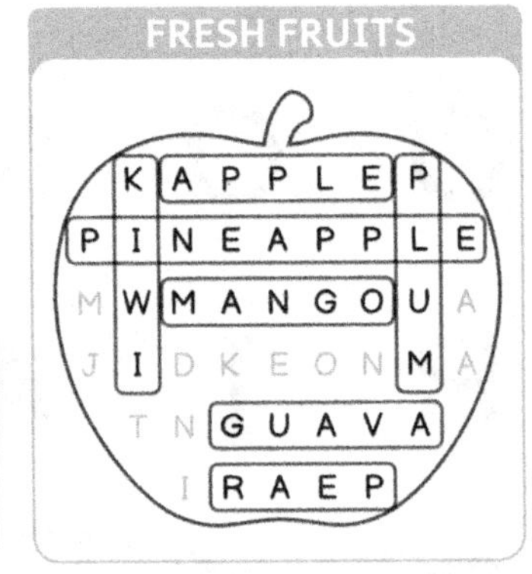

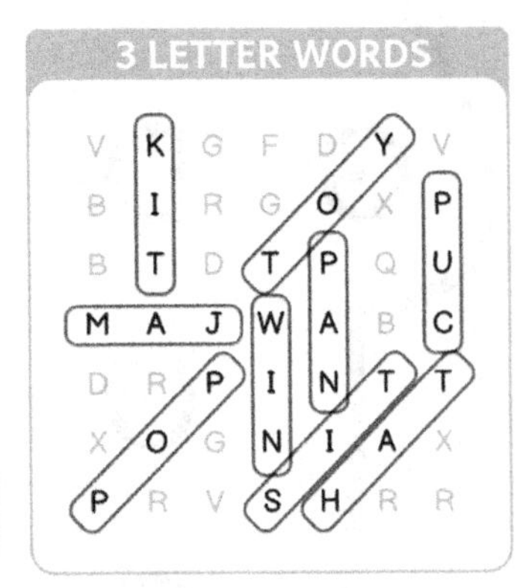

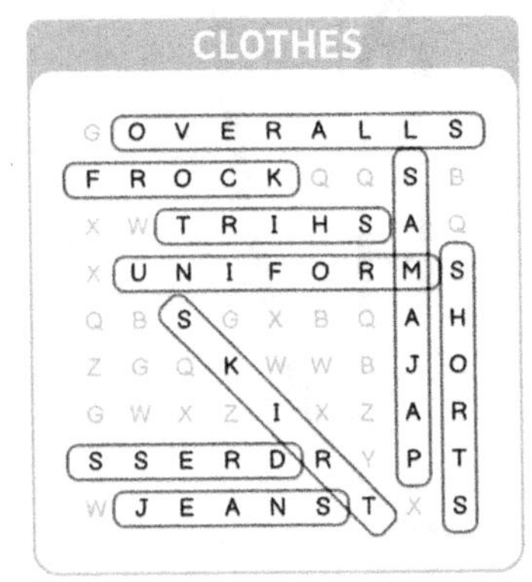

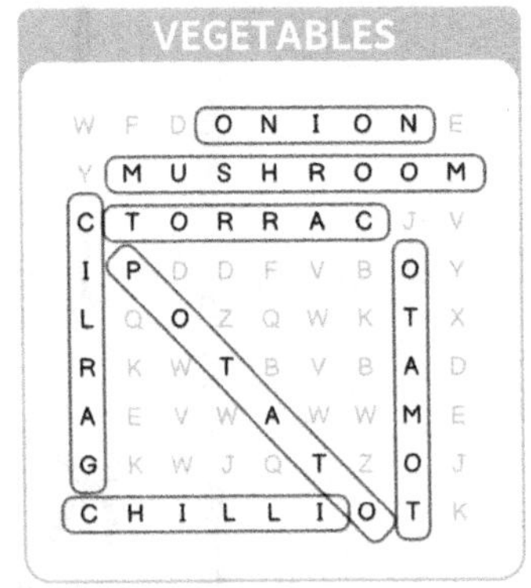

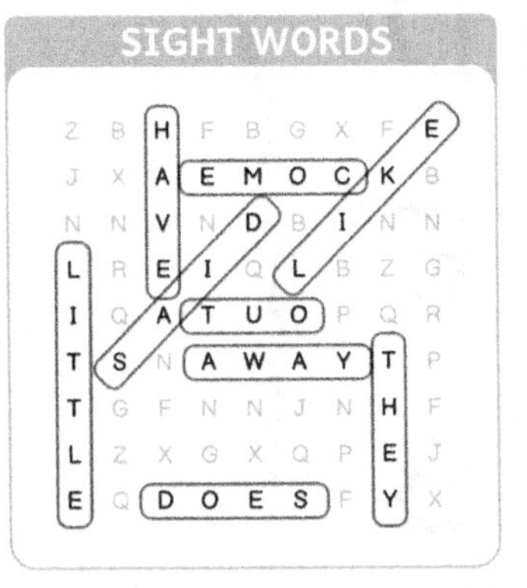

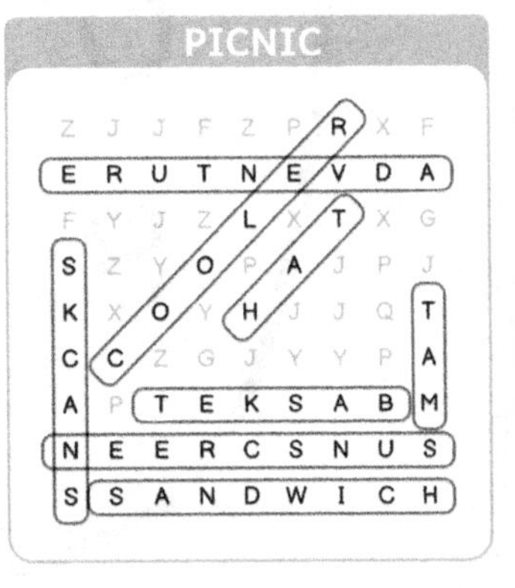

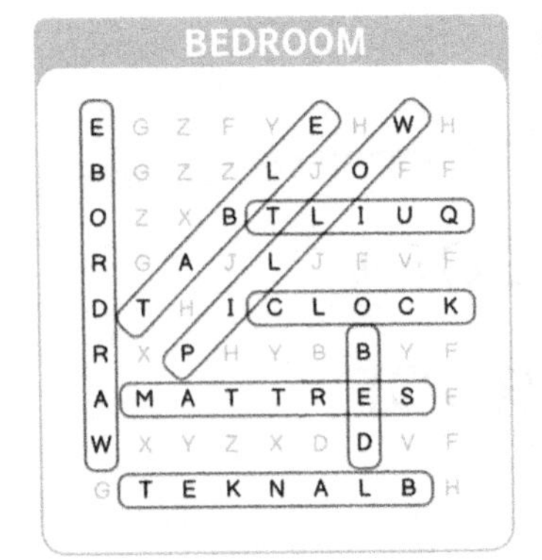

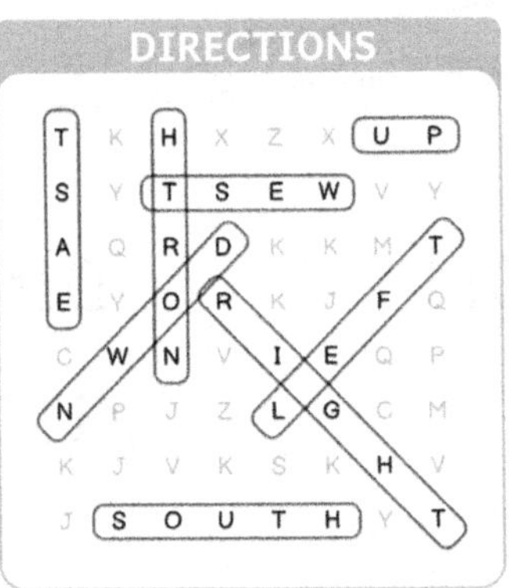

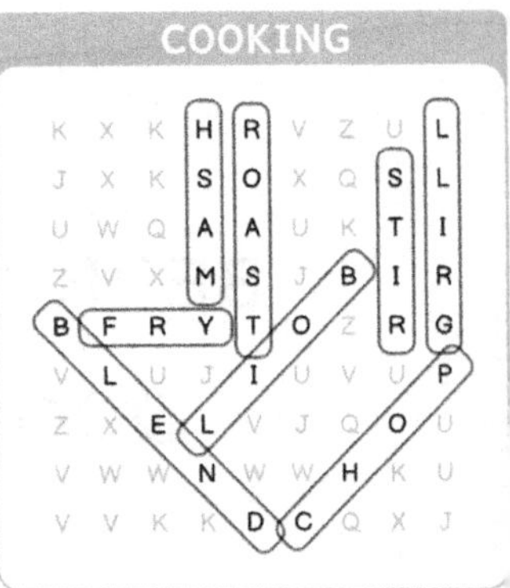

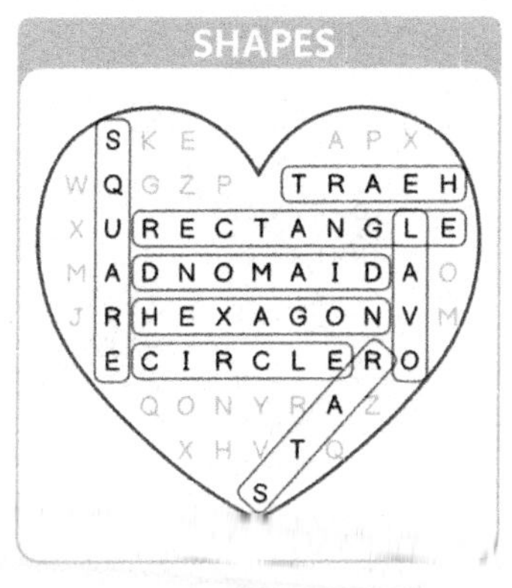
SHAPES

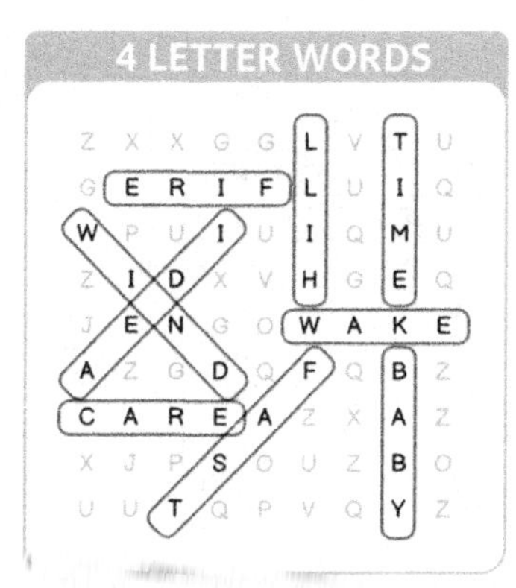
4 LETTER WORDS

BAKING

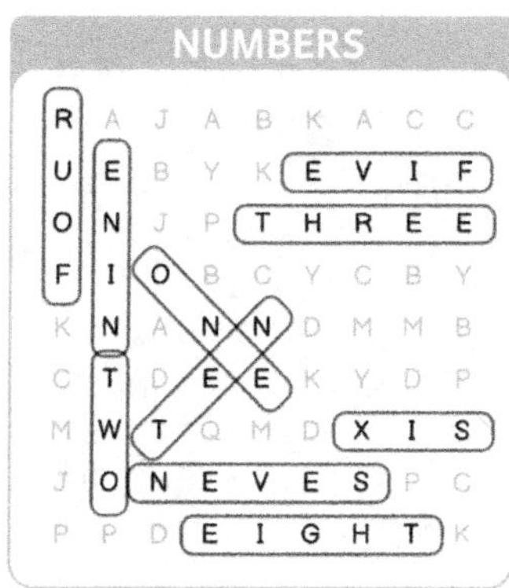
NUMBERS

IN THE KITCHEN

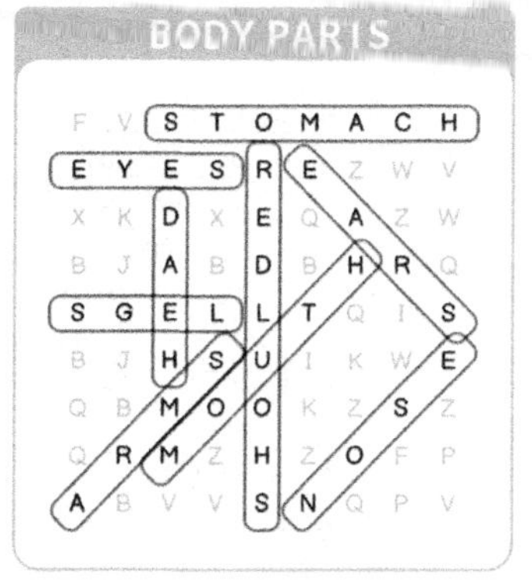
BODY PARTS

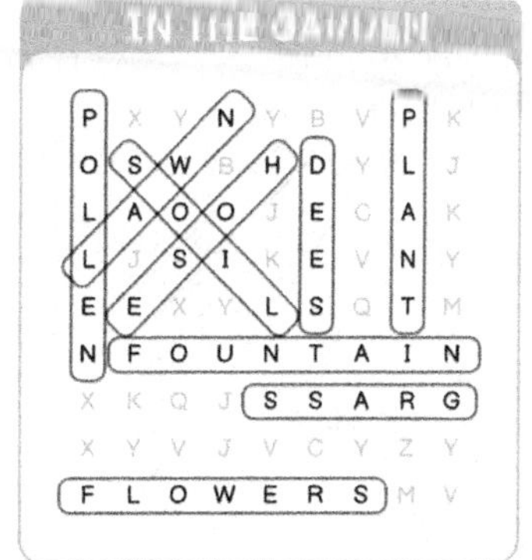
IN THE GARDEN

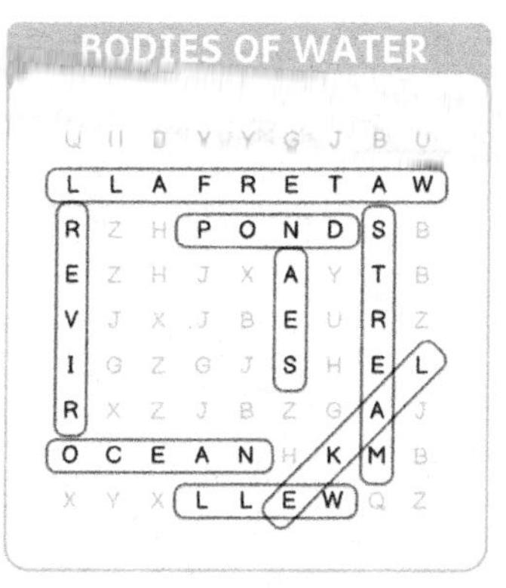
BODIES OF WATER

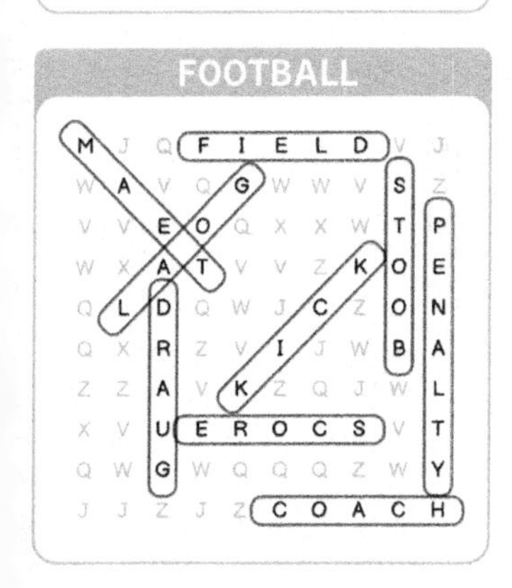
FOOTBALL

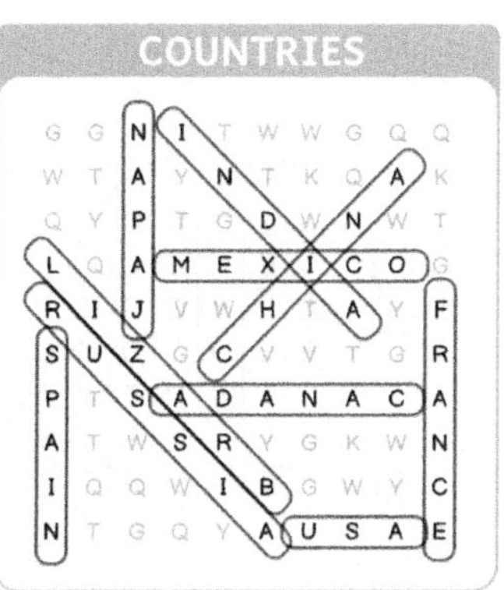
COUNTRIES

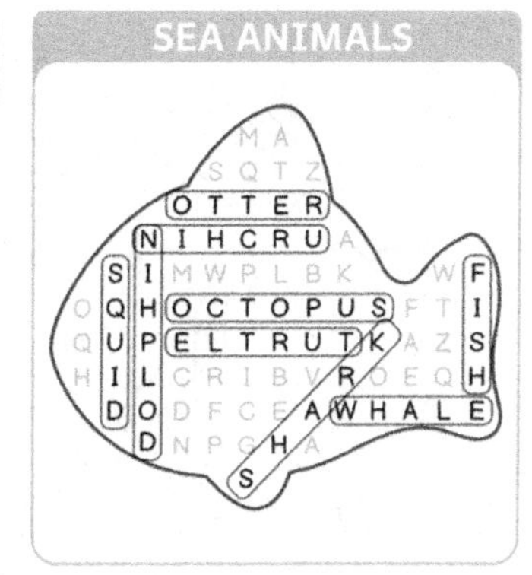
SEA ANIMALS

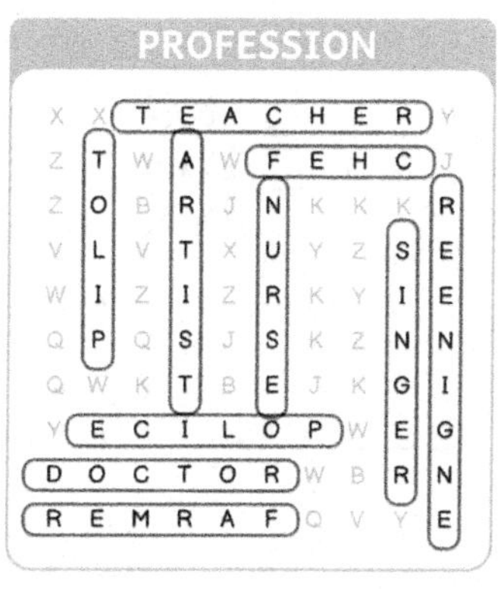
PROFESSION

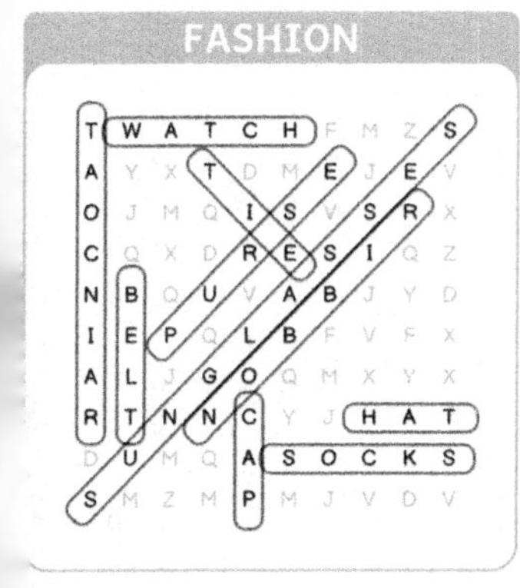
FASHION

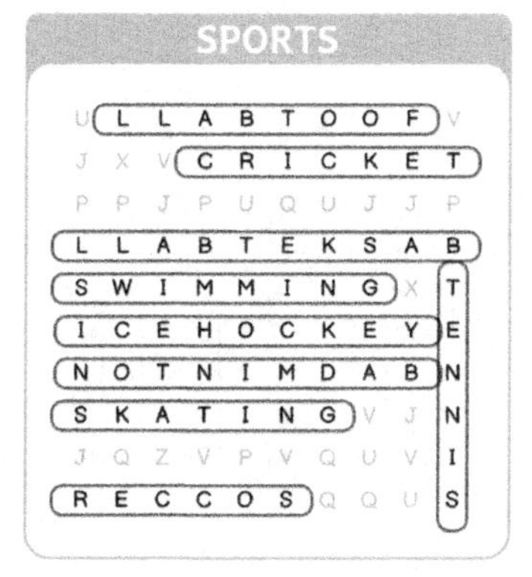
SPORTS

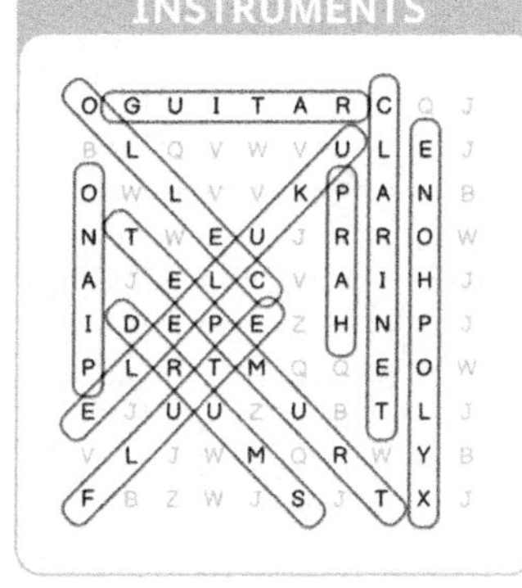
INSTRUMENTS

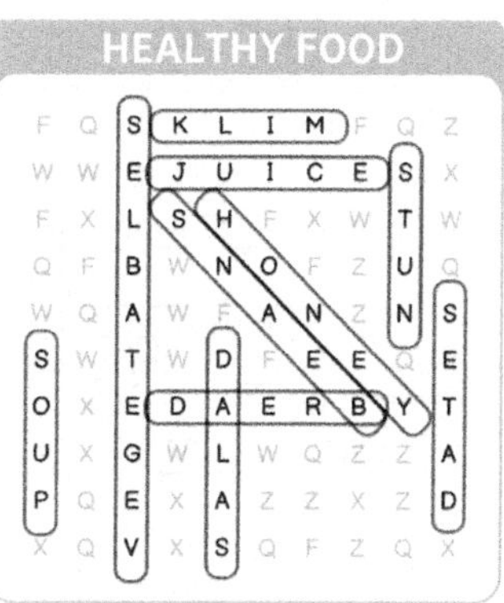
HEALTHY FOOD

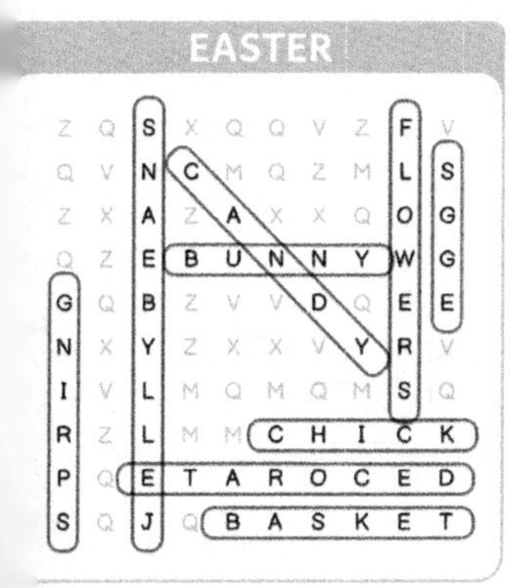
EASTER

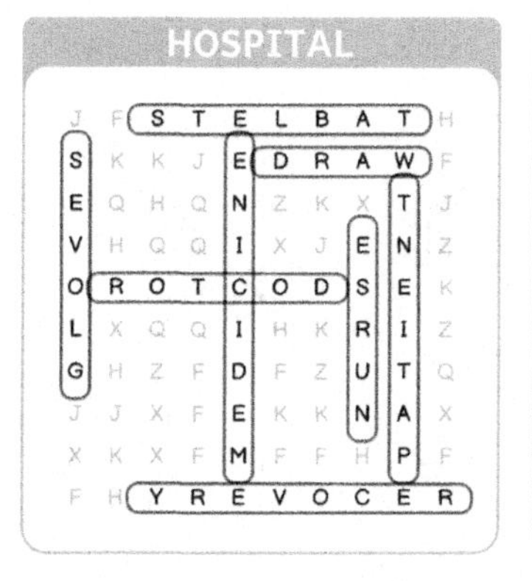
HOSPITAL

SUMMER VACATION

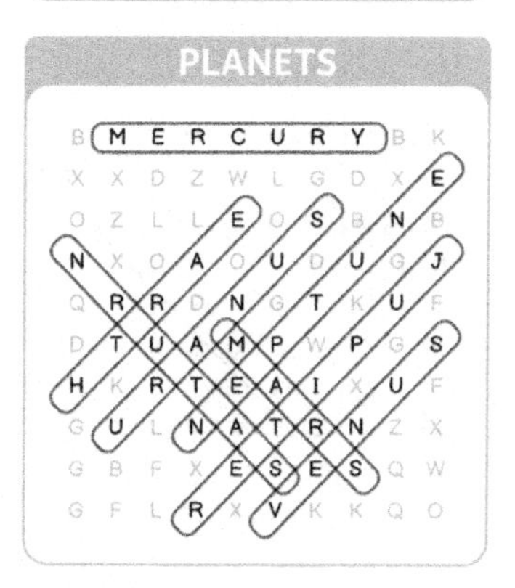
PLANETS

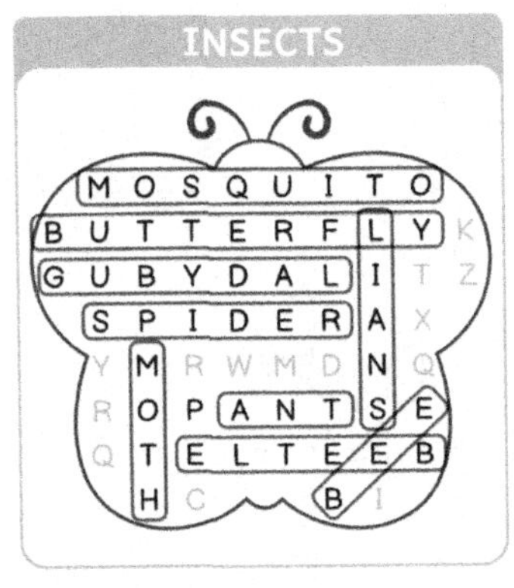
INSECTS

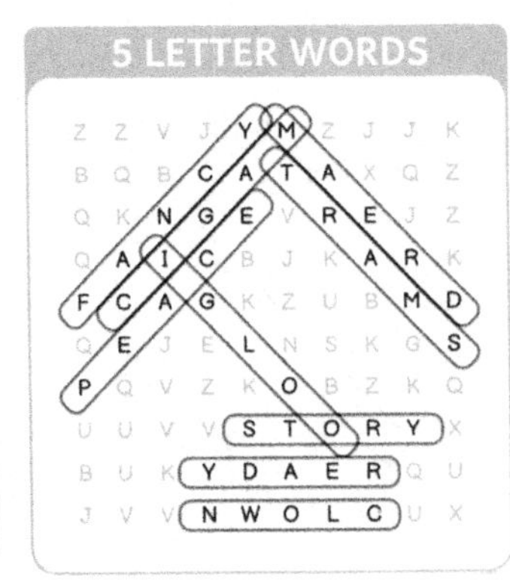
5 LETTER WORDS

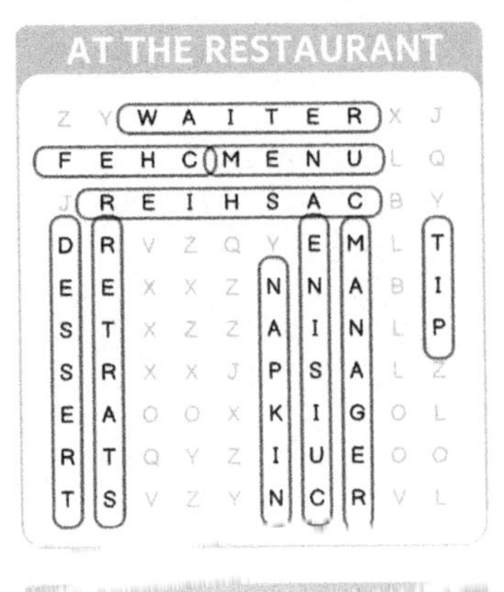
AT THE RESTAURANT

MOUNTAINS

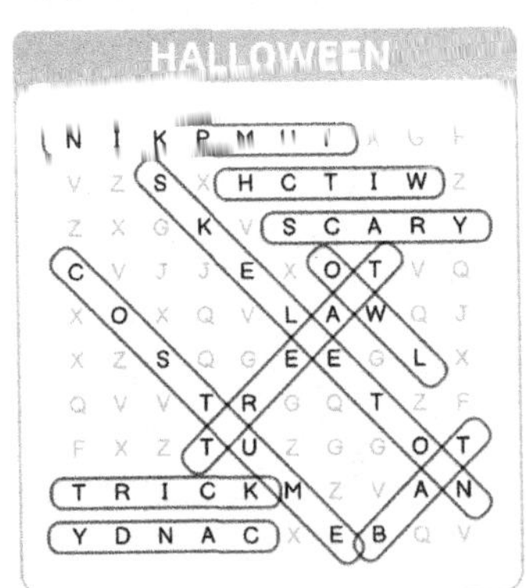
HALLOWEEN

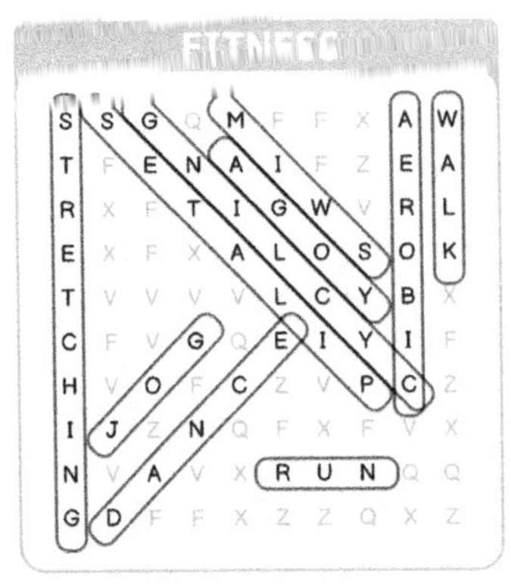
FITNESS

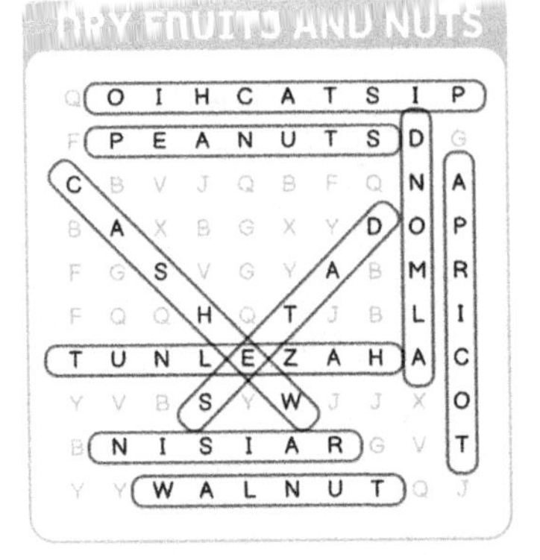
DRY FRUITS AND NUTS

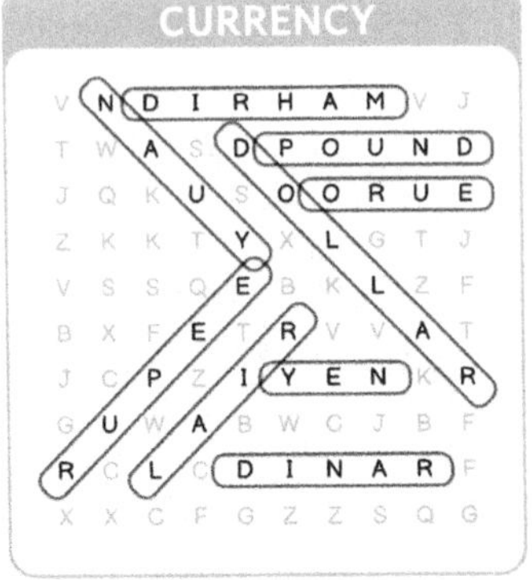
CURRENCY

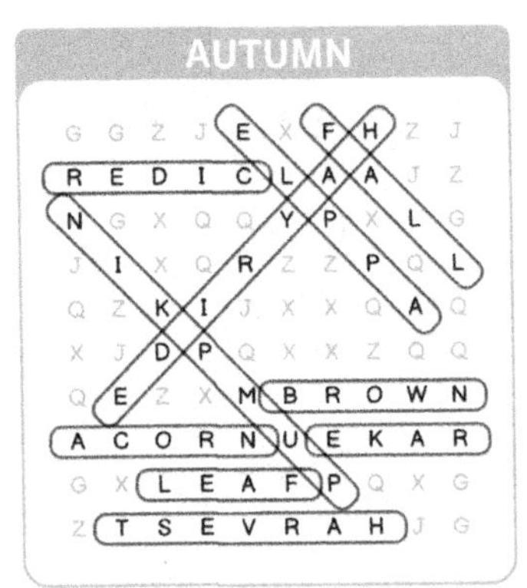
AUTUMN

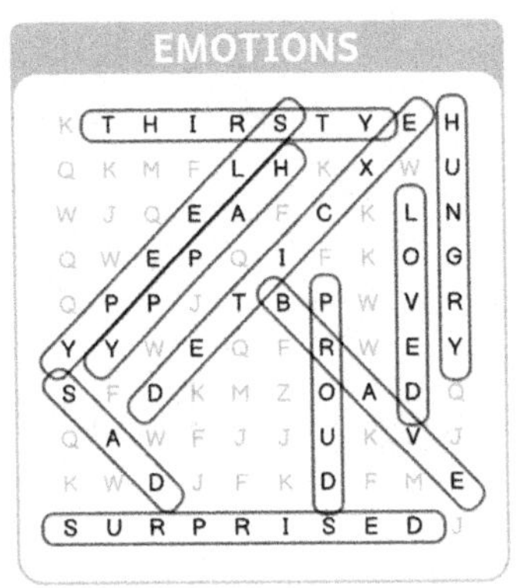
EMOTIONS

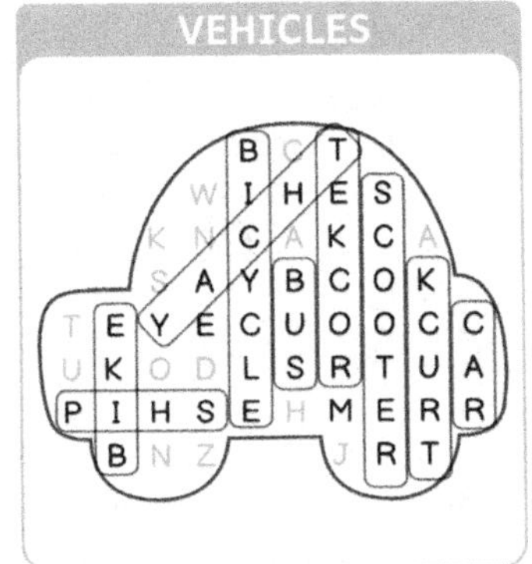
VEHICLES

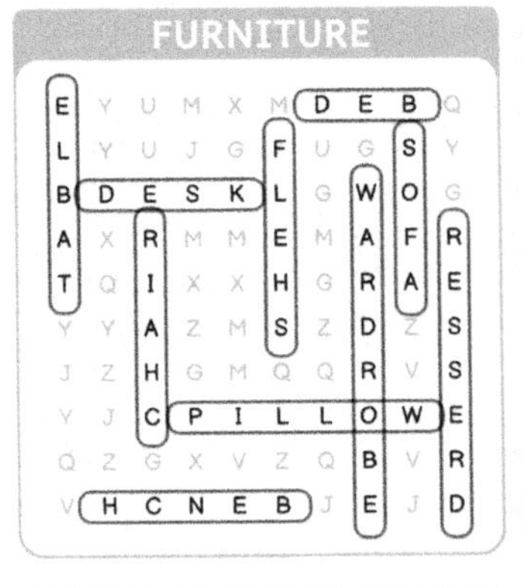
FURNITURE

FANTASY CREATURES

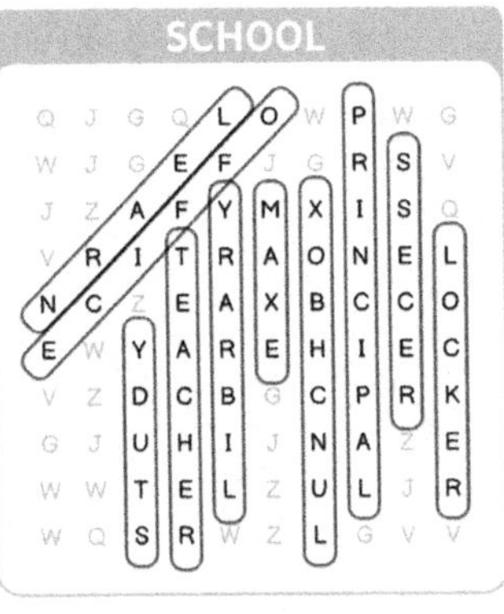
SCHOOL

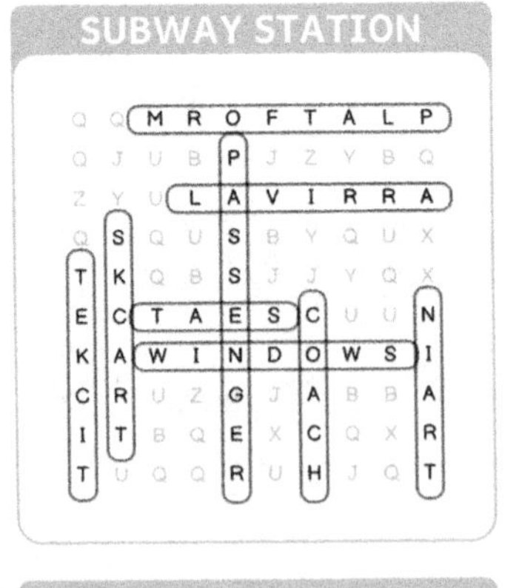
SUBWAY STATION

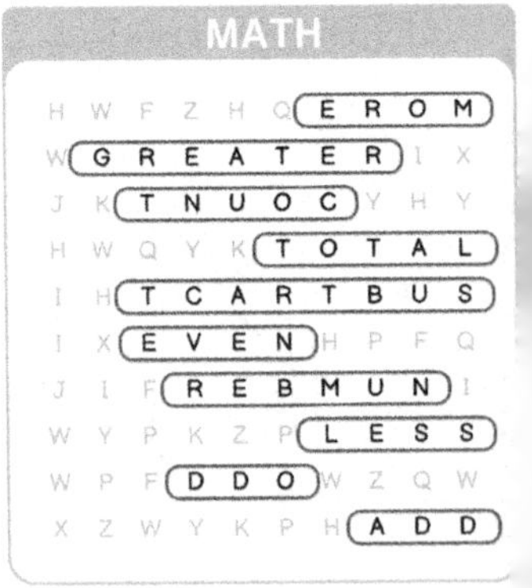
MATH

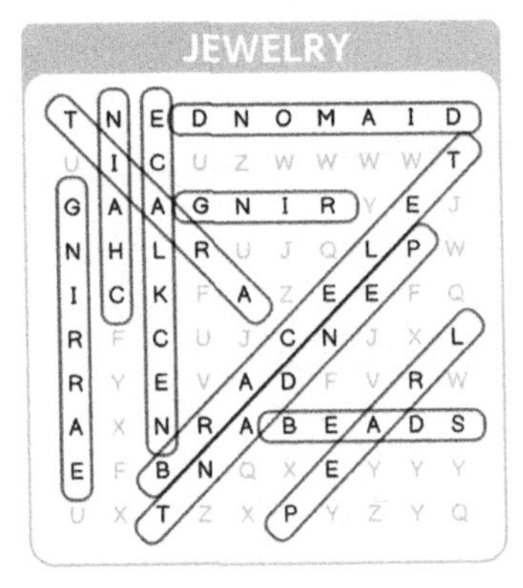
JEWELRY

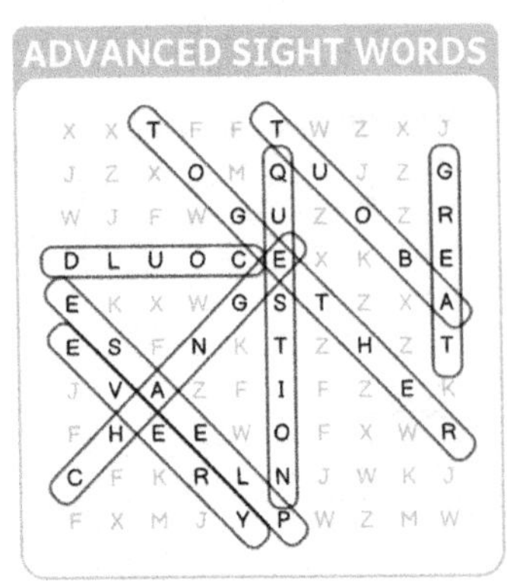
ADVANCED SIGHT WORDS

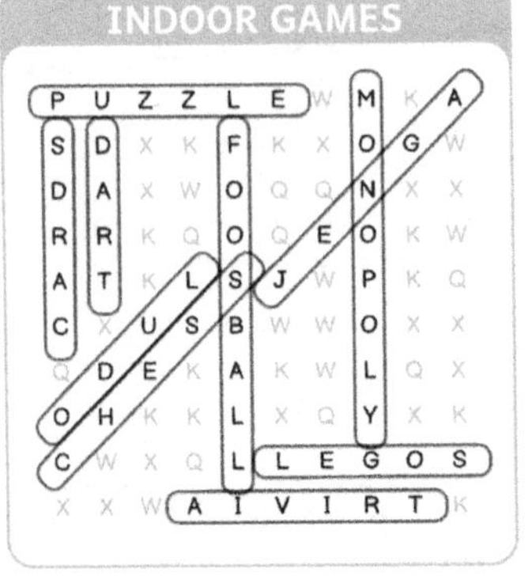
INDOOR GAMES

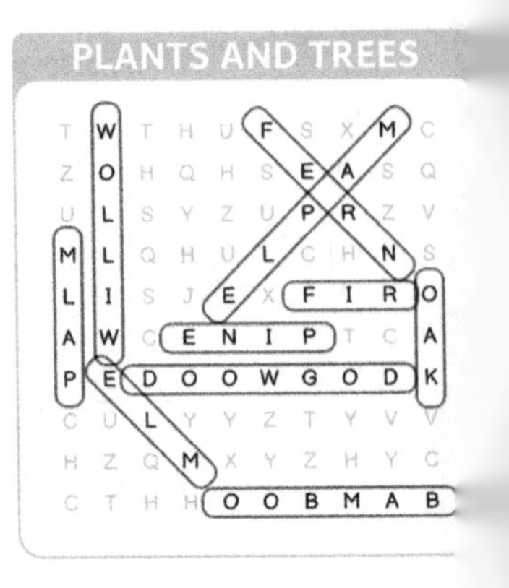
PLANTS AND TREES

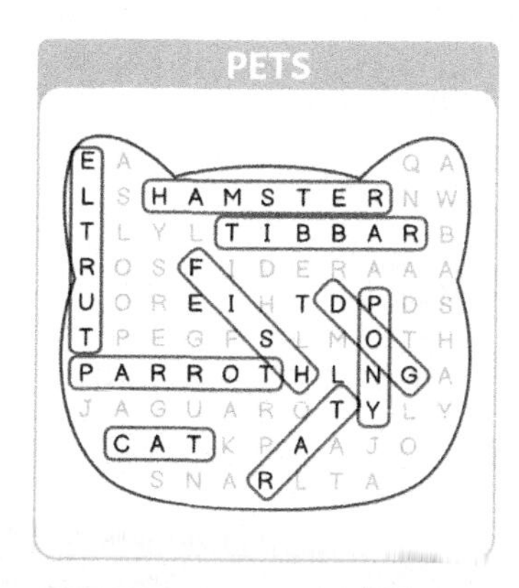
PETS

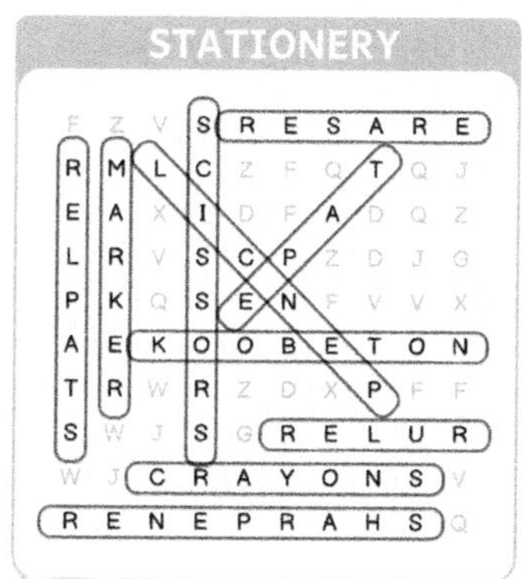
STATIONERY

FOREST

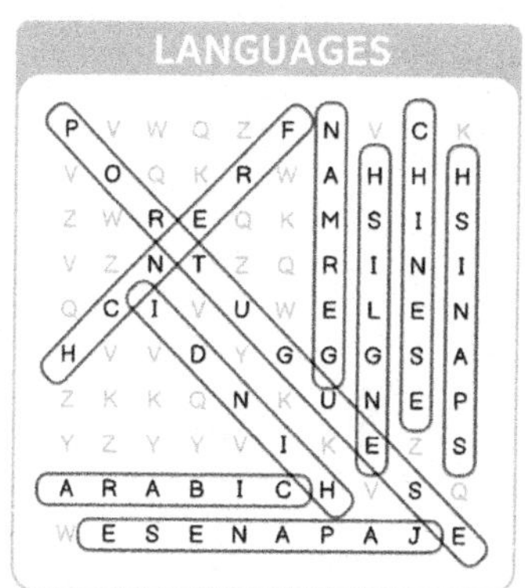
LANGUAGES

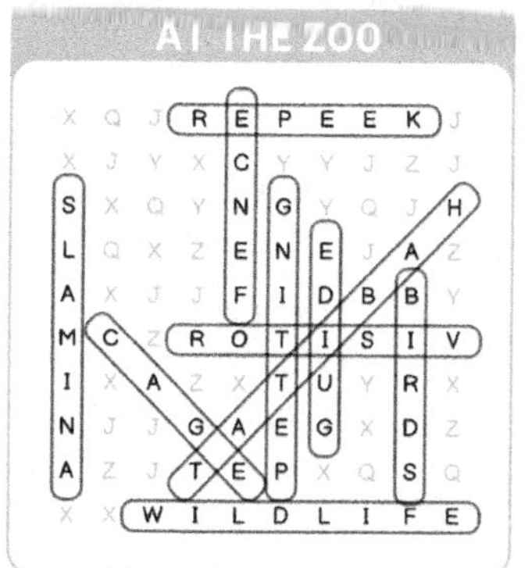
AT THE ZOO

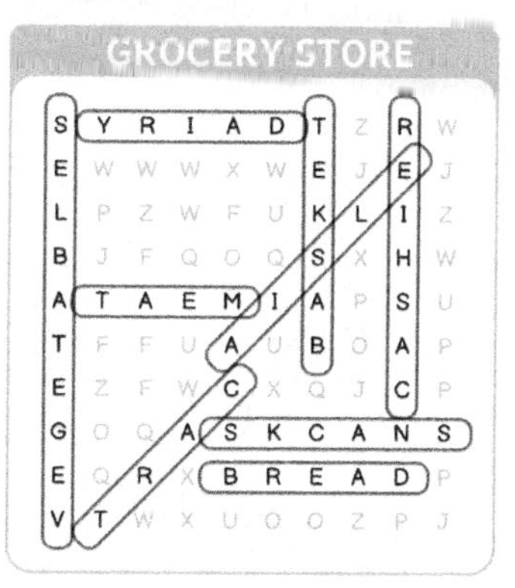
GROCERY STORE

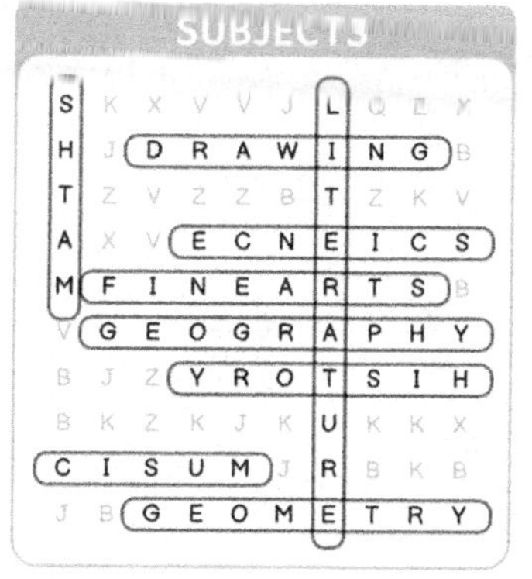
SUBJECTS

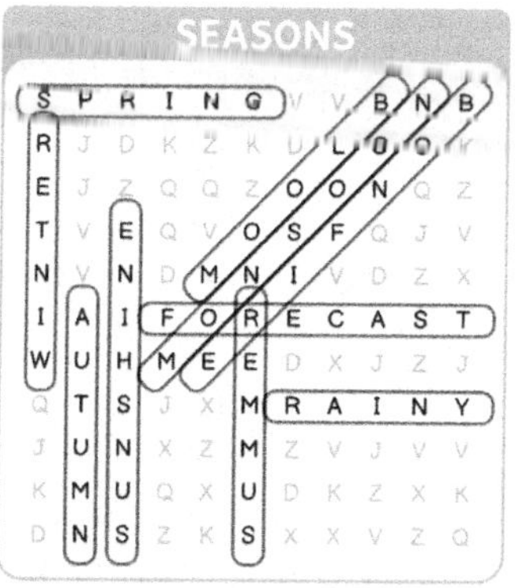
SEASONS

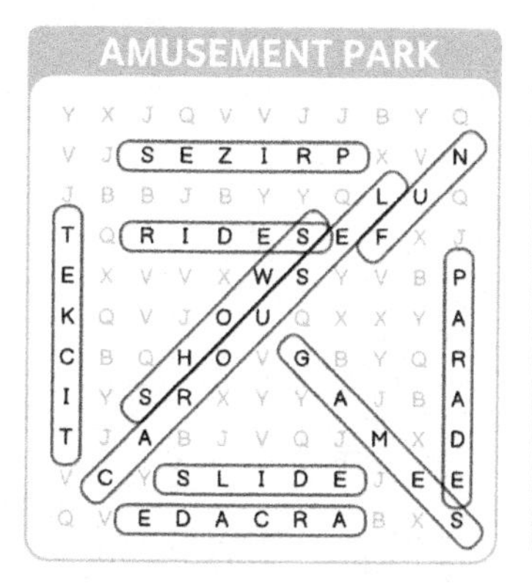
AMUSEMENT PARK

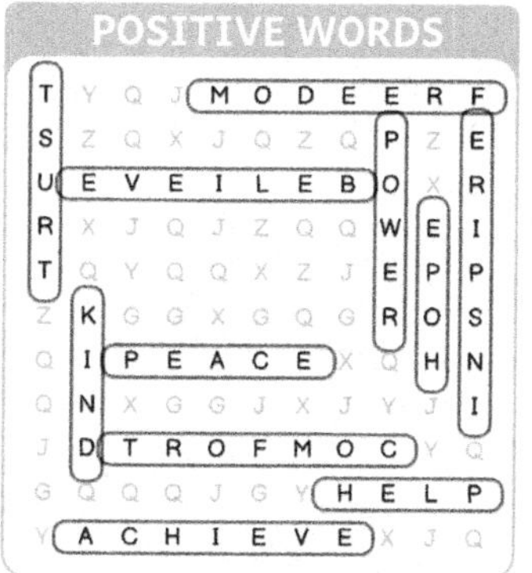
POSITIVE WORDS

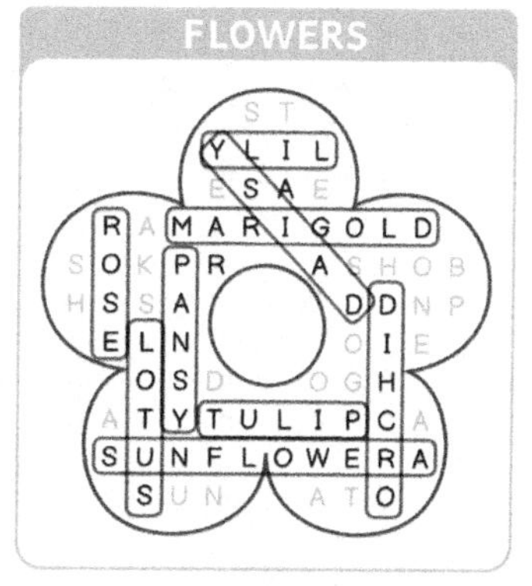
FLOWERS

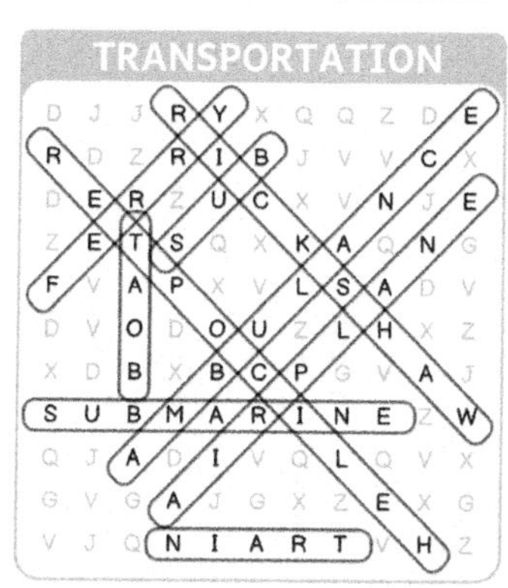
TRANSPORTATION

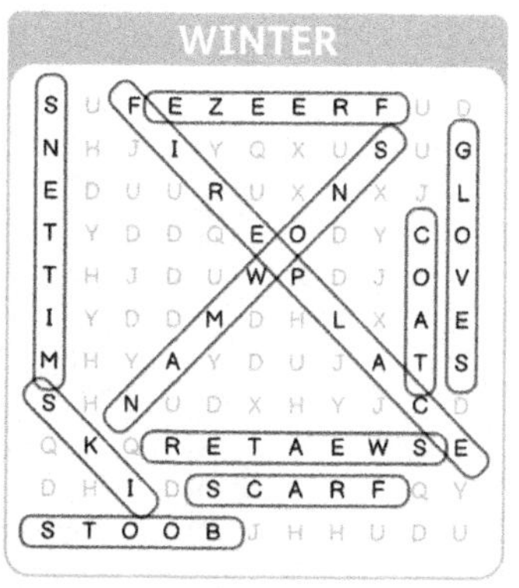
WINTER

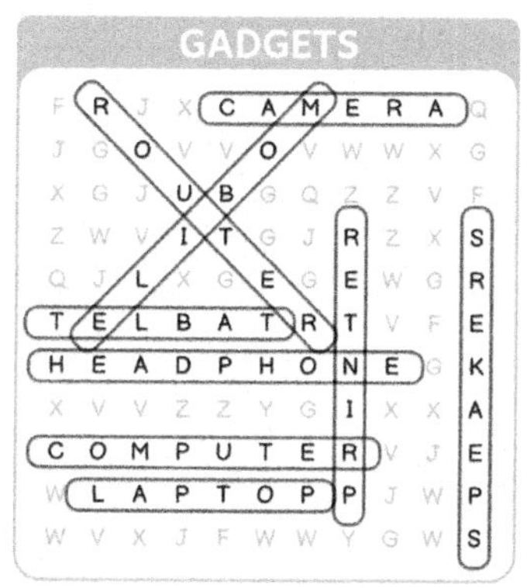
GADGETS

THANKSGIVING

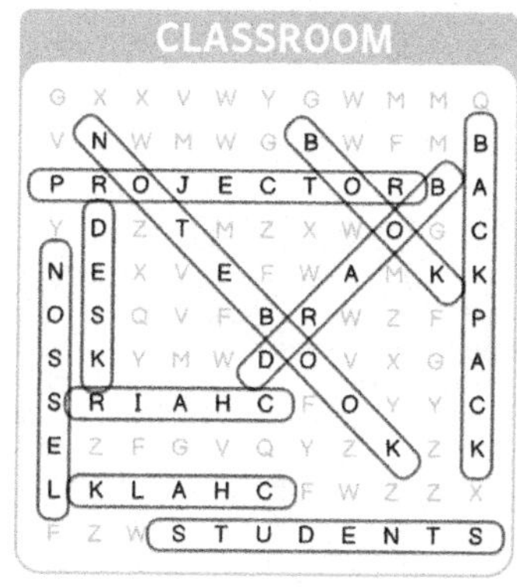
CLASSROOM

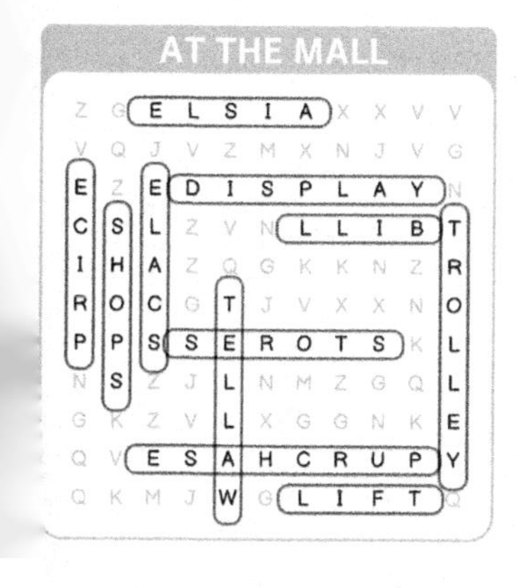
AT THE MALL

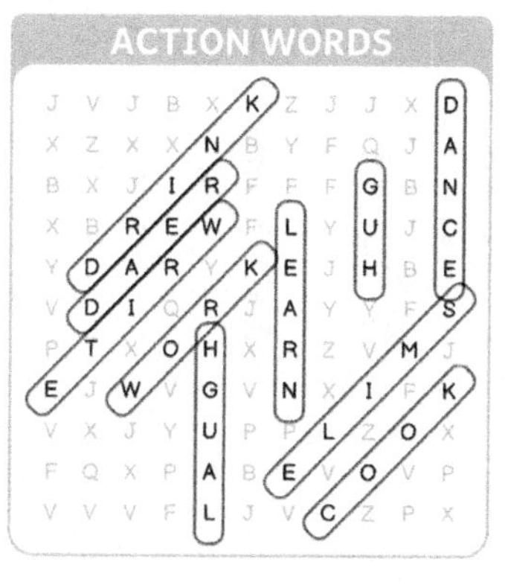
ACTION WORDS

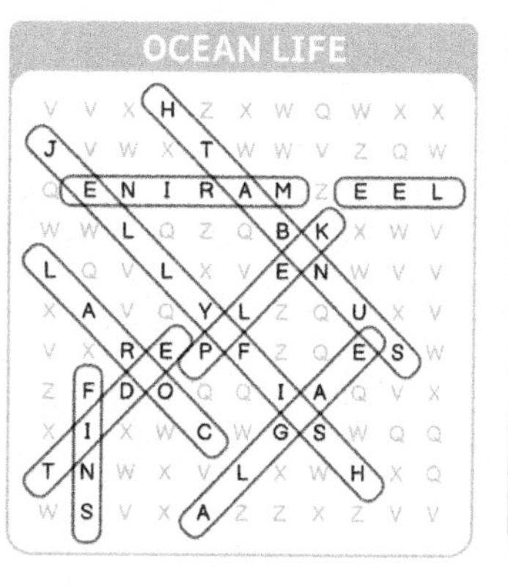
OCEAN LIFE

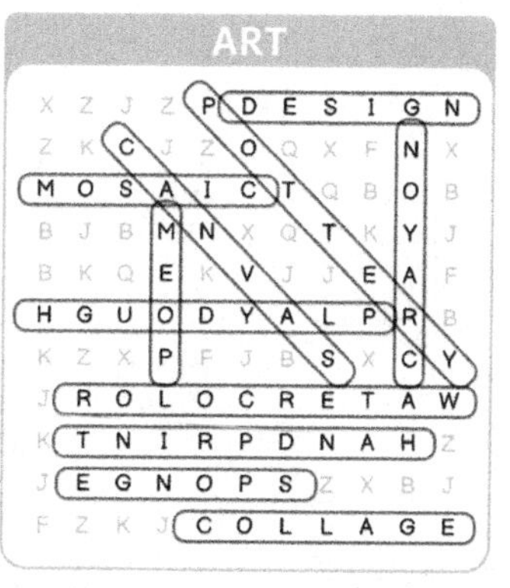
ART

DESSERTS

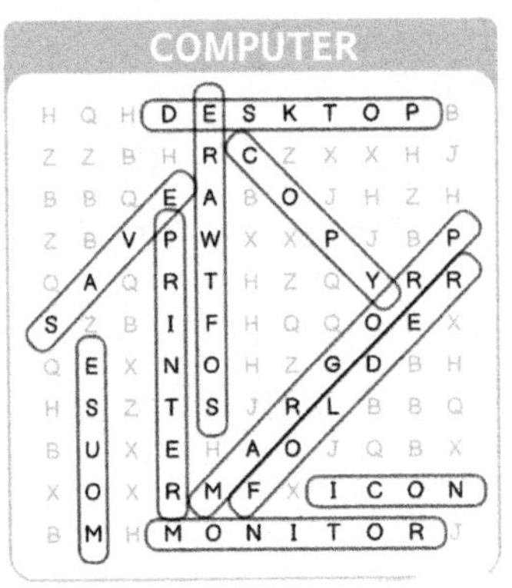
COMPUTER

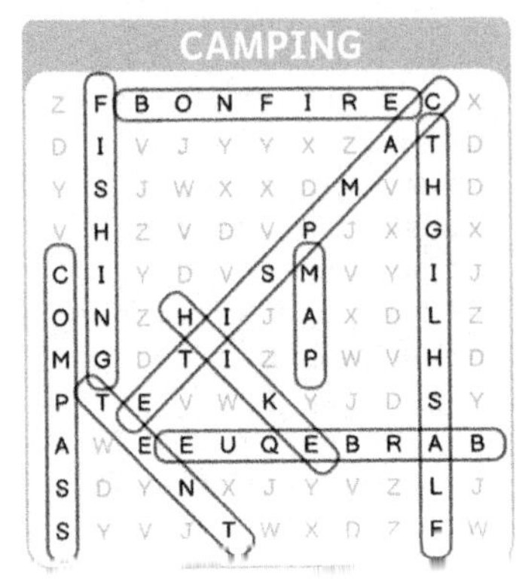
CAMPING

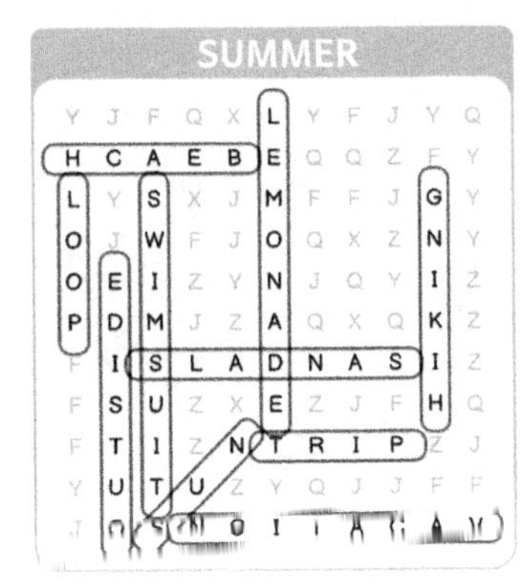
SUMMER

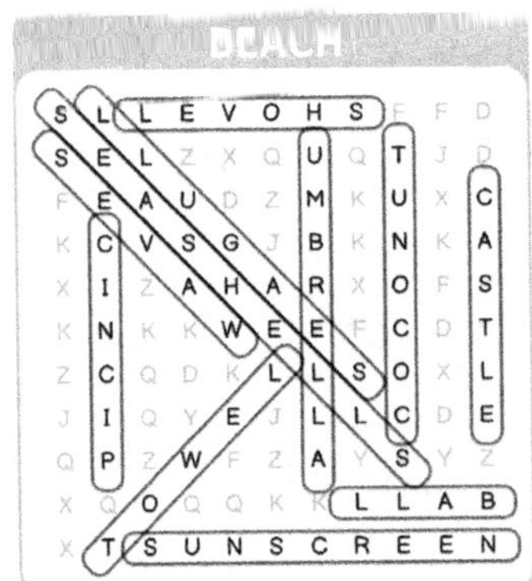
BEACH

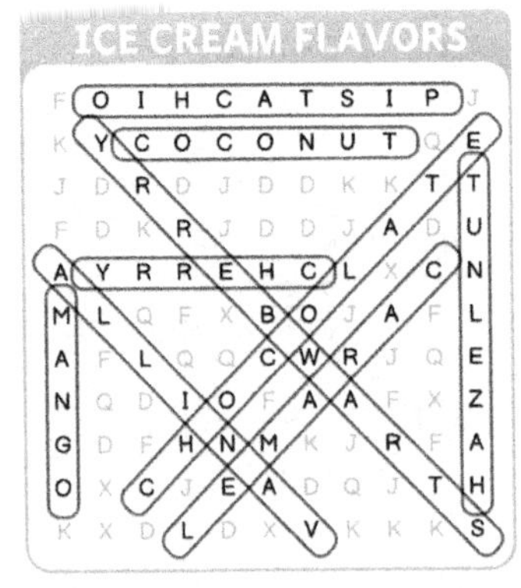
ICE CREAM FLAVORS

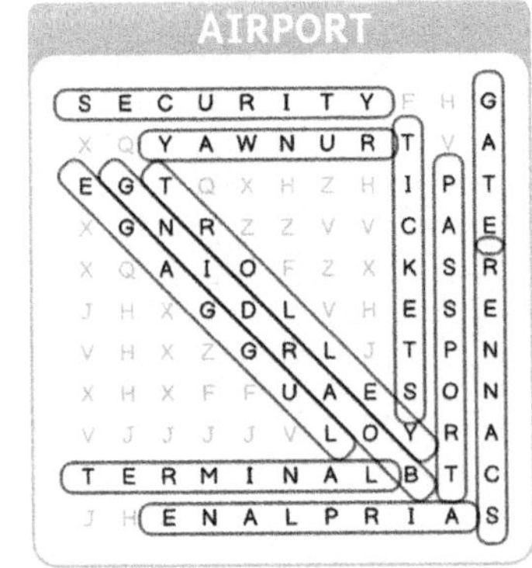
AIRPORT

PLAYGROUND

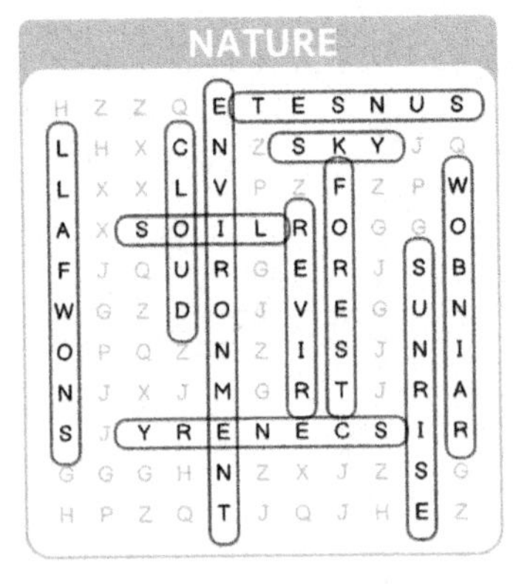
NATURE

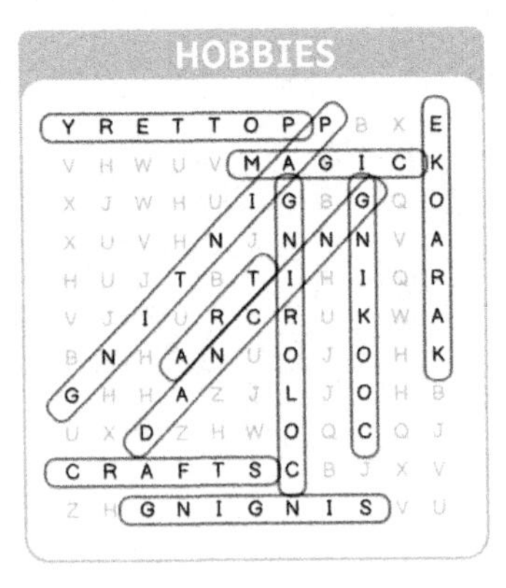
HOBBIES

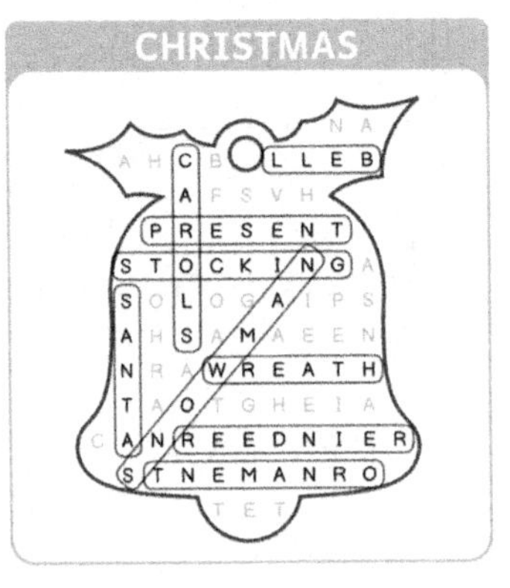
CHRISTMAS

FUN ACTIVITIES

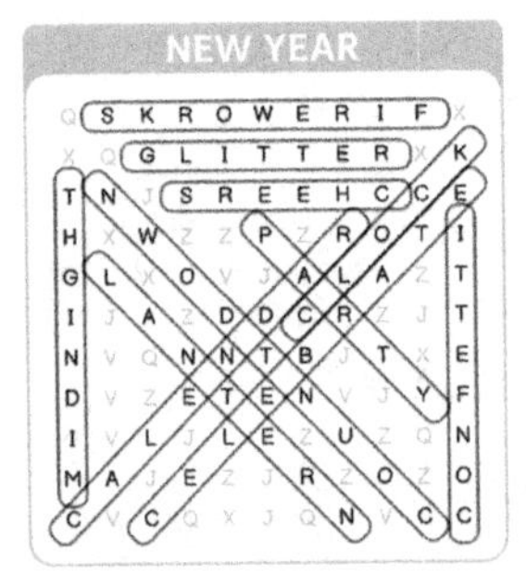
NEW YEAR

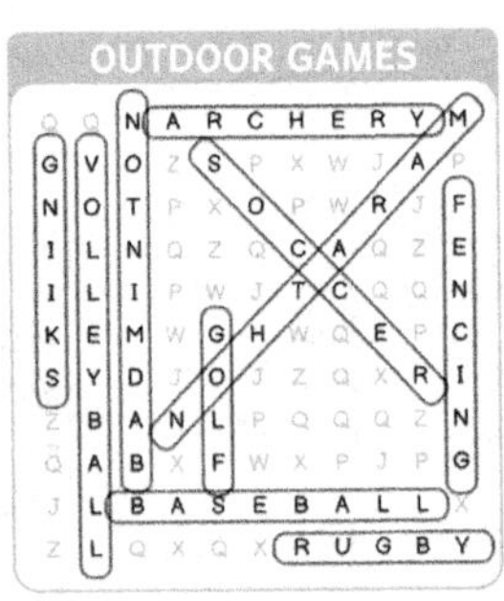
OUTDOOR GAMES

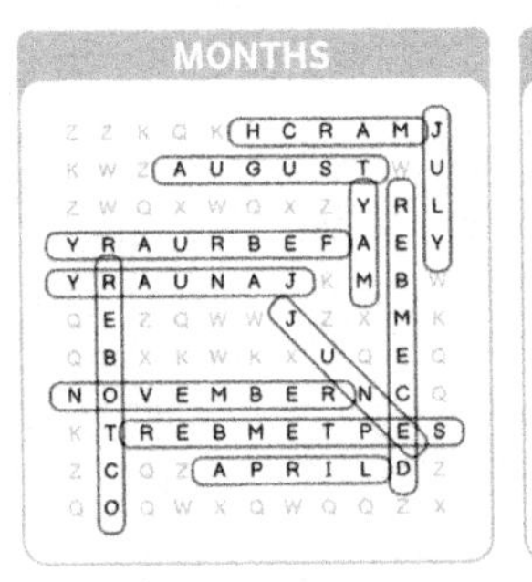
MONTHS

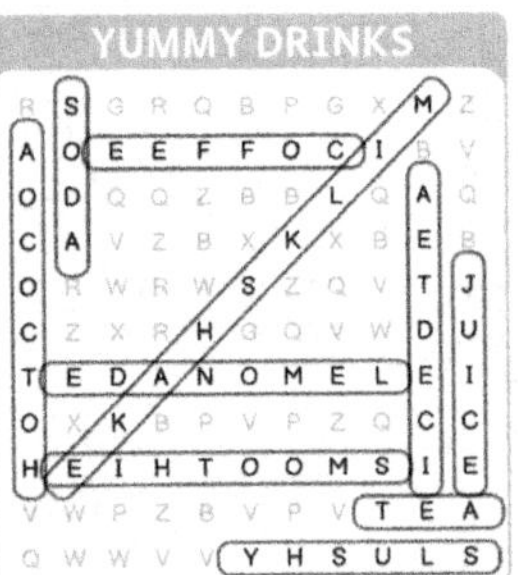
YUMMY DRINKS

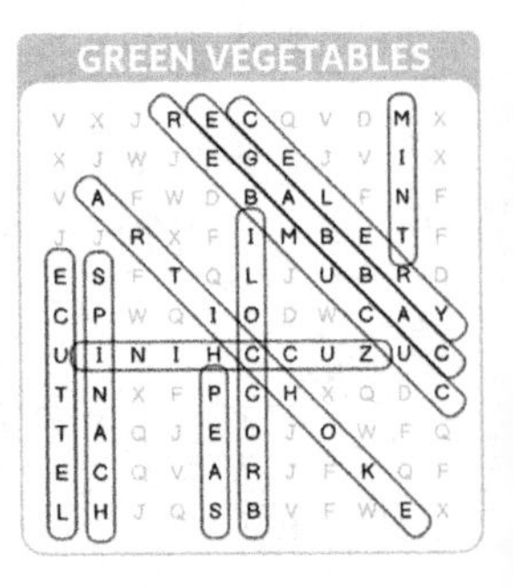
GREEN VEGETABLES

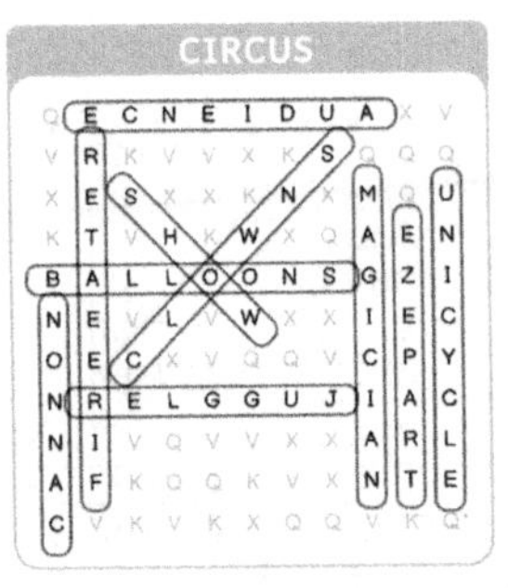
CIRCUS

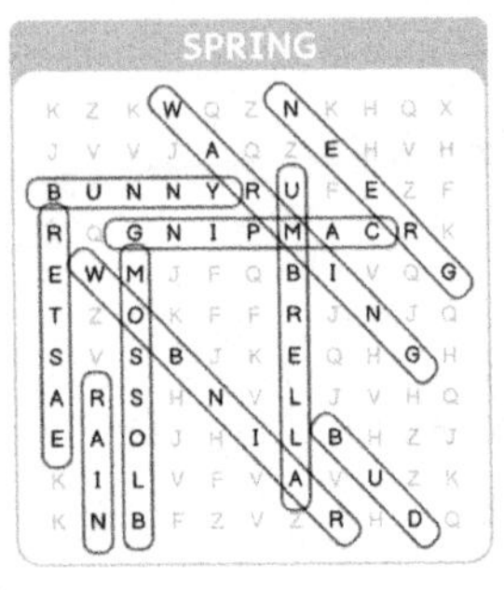
SPRING

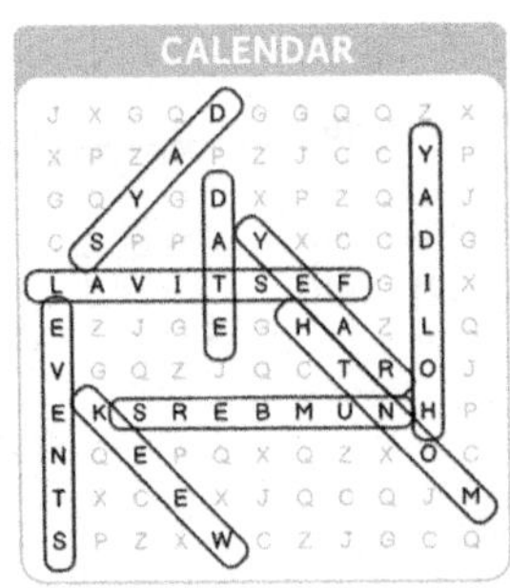
CALENDAR

FESTIVALS

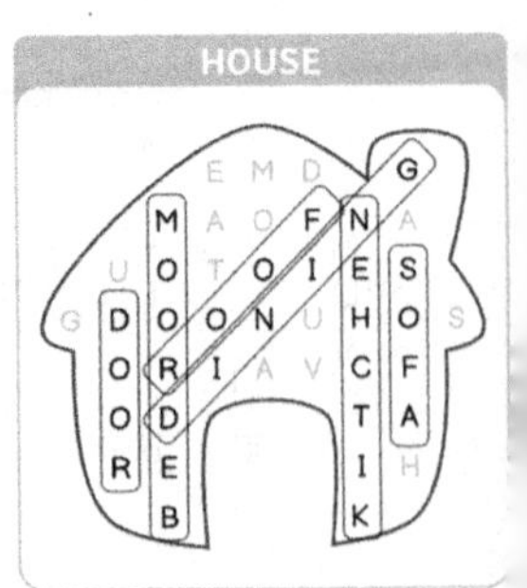
HOUSE

Made in the USA
Monee, IL
01 October 2024

66964998R00063